COLLECTION FOLIO

Daniel Pennac

Au bonheur des ogres

Gallimard

« Pour attirer le petit Dionysos dans leur cercle, les Titans agitent des espèces de hochets. Séduit par ces objets brillants, l'enfant s'avance vers eux et le cercle monstrueux se referme sur lui. Tous ensemble, les Titans assassinent Dionysos ; après quoi ils le font cuire et ils le dévorent. »

RENÉ GIRARD
Le Bouc Emissaire.

« ... les fidèles espèrent qu'il suffira au saint d'être là (...) pour qu'il soit frappé à leur place. »

RENÉ GIRARD
Le Bouc Emissaire.

« Les méchants ont sans doute compris quelque chose que les bons ignorent. »

WOODY ALLEN.

Au Gros.
A Robert Soulat.

1

La voix féminine tombe du haut-parleur, légère et prometteuse comme un voile de mariée.

— Monsieur Malaussène est demandé au bureau des Réclamations.

Une voix de brume, tout à fait comme si les photos de Hamilton se mettaient à parler. Pourtant, je perçois un léger sourire derrière le brouillard de Miss Hamilton. Pas tendre du tout, le sourire. Bon, j'y vais. J'arriverai peut-être la semaine prochaine. Nous sommes un 24 décembre, il est seize heures quinze, le Magasin est bourré. Une foule épaisse de clients écrasés de cadeaux obstrue les allées. Un glacier qui s'écoule imperceptiblement, dans une sombre nervosité. Sourires crispés, sueur luisante, injures sourdes, regards haineux, hurlements terrifiés des enfants happés par des pères Noël hydrophiles.

— N'aie pas peur, chéri, c'est le Père Noël !

Flashes.

En fait de Père Noël, j'en vois un, moi, gigantesque et translucide, qui dresse au-dessus de cette cohue figée sa formidable silhouette d'anthropophage. Il a une bouche cerise. Il a une barbe blanche. Il a un bon sourire. Des jambes d'enfants lui sortent par les commissures des lèvres. C'est le dernier dessin du Petit, hier, à l'école. Gueule de la maîtresse : « Vous trouvez normal de dessiner un Père Noël pareil, un enfant de cet âge ? » « Et le Père Noël, j'ai répondu, vous le trouvez tout à fait *normal*, lui ? » J'ai pris le Petit dans mes bras, il était bouillant de fièvre. Il avait si chaud que ses lunettes en étaient embuées. Ça le faisait loucher encore davantage.

— Monsieur Malaussène est demandé au bureau des Réclamations.

M. Malaussène a entendu, bordel ! Il est même au pied de l'escalator central. Et il s'y serait déjà engagé s'il n'était cloué sur place par la gueule noire d'un canon rayé. Parce que c'est moi qu'il vise, le salaud, pas d'erreur possible. La tourelle a tourné sur son axe, s'est immobilisée dans ma direction, puis le canon a levé le nez jusqu'à me fixer entre les deux yeux. Tourelle et canon appartiennent à un char AMX 30, télécommandé par un vieillard d'un mètre quarante qui manipule l'engin à distance, en poussant des petits gloussements émerveillés. C'est un des innombrables petits vieux de Théo. Réellement très petit, absolument vieux, repérable à cette blouse grise dont Théo les affuble pour ne pas les perdre de vue.

— Pour la dernière fois, grand-père, remettez ce jouet à sa place !

La vendeuse gronde avec lassitude derrière le rayon des jouets. Elle a la gentille tête d'un écureuil qui aurait conservé ses noisettes dans ses joues. Le vieillard crachote un refus d'enfant, son pouce sur le bouton de la mise à feu. Je claque un garde-à-vous impeccable et dis :

— L'AMX 30 est dépassé, mon Colonel, bon pour la ferraille ou l'Amérique latine.

Le petit vieux jette un regard désolé sur son joujou, puis, d'un geste résigné, me fait signe de passer. Le sourire de la vendeuse me dédie un brevet de gérontologie. Cazeneuve, le flic de l'étage, surgit du sol et ramasse le char d'un air rageur.

— Décidément, il faut toujours que tu foutes la merde, Malaussène !

— Ta gueule, Cazeneuve.

Atmosphère...

Son char envolé, le vieillard reste bras ballants. Je me laisse emporter par l'escalator, avec un certain soulagement, comme si j'espérais trouver plus d'air en altitude.

En altitude, c'est Théo, que je trouve. Cintré dans un costard flamant rose, il fait la queue, comme d'habitude, devant la cabine de photomaton. Il me sourit gentiment.

— Il y a un de tes bébés qui sème le branle au rayon des jouets, Théo.

— Tant mieux, pendant ce temps il n'ouvre pas sa blouse à la sortie des écoles.

Sourire pour sourire. Puis du coin de l'œil, Théo me désigne la cage en verre des Réclamations.

— On dirait qu'on s'occupe de toi, là-dedans.

En effet, il ne me faut pas une seconde pour comprendre que Lehmann est au boulot depuis un certain temps. Il est en train d'expliquer à la cliente que c'est entièrement de ma faute. Des larmes jaillissent à petits jets brefs des yeux de la dame. Elle a rangé dans un coin un bébé obèse rentré en force dans une poussette déglinguée. J'ouvre la porte. J'entends Lehmann affirmer, sur le ton de la plus franche solidarité :

— Je suis entièrement d'accord avec vous, madame, c'est absolument inadmissible, d'ailleurs...

Il m'a vu.

— D'ailleurs le voici, nous allons lui demander ce qu'il en pense.

Sa voix a changé de registre. Du compatissant, on glisse au venimeux. L'affaire est simple. Lehmann me l'expose avec une tranquillité d'hypnotiseur. Le bébé obèse pose sur moi un regard gai comme le monde. Voilà, il y a trois jours, mes services auraient vendu à la dame ici présente un réfrigérateur d'une contenance telle qu'elle y a enfourné le réveillon de vingt-cinq personnes, hors-d'œuvre et desserts compris. « Enfourné » est d'ailleurs le mot juste, puisque cette nuit, pour une raison dont Lehmann aimerait bien que je lui fournisse l'explication, le frigo en question s'est transformé en incinérateur. Un miracle que madame n'ait pas été brûlée vive en ouvrant la porte ce matin. Je jette un bref coup d'œil à la cliente. Ses sourcils, en effet, sont roussis. La douleur qui perce à travers sa colère m'aide à prendre un air lamentable. Le bébé me regarde comme si j'étais la source de tout. Mes yeux à moi se portent avec angoisse sur Lehmann, qui, les bras croisés, s'est appuyé contre l'arête de son bureau et dit :

— J'attends.

Silence.

— Le Contrôle Technique, c'est vous, non ?

J'en conviens d'un hochement de tête et balbutie que, justement, je ne comprends pas, les tests de contrôle avaient été effectués... — Comme pour la gazinière de la semaine dernière ou l'aspirateur du cabinet Boëry !

Dans le regard du môme, je lis clairement que le massacre des bébés phoques, c'est moi. Lehmann s'adresse de nouveau à la cliente. Il parle comme si je n'étais pas là. Il remercie la dame de n'avoir pas hésité à déposer sa plainte avec vigueur. (Dehors, Théo poirote toujours à la porte du photomaton. Il ne faudra pas que j'oublie de lui demander un double de sa photo pour l'album du Petit.) Lehmann estime qu'il est du devoir de la clientèle de participer à l'assainissement du Commerce. Il va sans dire que la garantie jouera et que le Magasin lui livrera séance tenante un autre réfrigérateur.

— Quant aux préjudices matériels annexes dont vous-même et les vôtres avez eu à pâtir (il parle comme ça, l'ex sous-off Lehmann, avec, au fond de la voix, le souvenir de la bonne vieille Alsace où le déposa la Cigogne — celle qui carbure au Riesling), M. Malaussène se fera un plaisir de les réparer. A ses frais, bien entendu.

Et il ajoute :

— Joyeux Noël, Malaussène !

Maintenant que Lehmann lui retrace ma carrière dans la maison, maintenant que Lehmann lui affirme que, grâce à elle, cette carrière va prendre fin, ce n'est plus de la colère que je lis dans les yeux fatigués de la cliente, c'est de l'embarras, puis de la compassion, avec des larmes qui remontent à l'assaut, et qui tremblent bientôt à la pointe de ses cils.

Ça y est, le moment est venu d'amorcer ma propre pompe lacrymale. Ce que je fais en détournant les yeux. Par la baie vitrée, je plonge mon regard dans le maelström du Magasin. Un cœur impitoyable pulse des globules supplémentaires dans les artères bouchées. L'humanité entière me paraît ramper sous un gigantesque paquet cadeau. De jolis ballons translucides montent sans discontinuer du rayon des jouets pour s'agglutiner là-haut, contre la verrière dépolie. La lumière du jour filtre à travers ces grappes multicolores. C'est beau. La cliente essaye en vain d'interrompre Lehmann qui, impitoyable, dresse mon curriculum à venir. Pas brillant. Deux ou trois emplois minables, nouvelles exclusions, le chômage définitif, un hospice, et la fosse commune en perspective. Quand les yeux de la cliente se reportent sur moi, je suis en larmes. Lehmann n'élève pas la voix. Il enfonce méthodiquement le clou.

Ce que je vois dans les yeux de la cliente, maintenant, ne me surprend pas. *Je l'y vois, elle*. Il a suffi que je me mette à pleurer pour qu'elle prenne ma place. Compassion. Elle parvient enfin à interrompre Lehmann au milieu d'une respiration. Machine arrière toute. Elle retire sa plainte. Qu'on se contente de faire jouer la garantie du réfrigérateur, elle n'en demande pas plus. Inutile de me faire rembourser le réveillon de vingt-cinq personnes. (A un moment ou à un autre, Lehmann a dû parler de mon salaire.) Elle s'en voudrait de me faire perdre ma place une veille de fête. (Lehmann a prononcé le mot « Noël » une bonne vingtaine de fois.) Tout le monde peut faire des erreurs, elle-même il n'y a pas si longtemps, dans son travail...

Cinq minutes plus tard, elle quitte le bureau des Réclamations munie d'un bon de commande pour un réfrigérateur neuf. Le bébé et sa poussette restent coincés une seconde dans la porte. Elle pousse, avec un sanglot nerveux.

Lehmann et moi restons seuls. Je le regarde un moment se fendre la pêche puis — coup de pompe ou quoi ? — je murmure :

— Belle équipe de salauds, hein ?

Sa gueule d'aboyeur s'ouvre toute grande pour me répondre. Mais quelque chose la lui ferme.

Cela monte du ventre du Magasin.

C'est une explosion sourde. Suivie de hurlements.

2

Nous écrasons nos deux nez contre la baie vitrée. D'abord, nous ne voyons rien. Soufflés par l'explosion, deux ou trois mille ballons nous cachent le Magasin. C'est en remontant lentement vers la lumière qu'ils nous dévoilent ce que j'aurais préféré ne pas voir.

— Merde, murmure Lehmann.

La panique des clients est totale. Ils cherchent tous une sortie. Les plus costauds marchent sur les plus faibles. Certains courent directement sur les comptoirs, soulevant des éclaboussures de chaussettes et de petites culottes. Ici et là un vendeur ou un surveillant d'étage tente d'endiguer la panique. Un grand type à veste violette est jeté à travers une vitrine de cosmétiques. J'ouvre la porte en verre du bureau des Réclamations. C'est comme si j'avais ouvert une fenêtre au milieu d'un typhon. Le Magasin n'est qu'un seul hurlement. A côté de moi, un haut-parleur tente de ramener le calme. Si on ne risquait pas de mourir d'autre chose, la voix de Miss Hamilton serait à mourir de rire ; un vaporisateur en plein ouragan. En bas, c'est la guerre. Là-haut, les ballons ont retrouvé leur transparence. Toute cette scène de terreur baigne dans une lumière rosée d'une rare douceur. Lehmann m'a rejoint et braille à mon oreille :

— D'où ça vient ? Où est-ce que ça a pété ?

Il y a comme un relent d'excitation indochinoise, dans sa voix de vieux soldat. Je ne sais pas où ça a pété. Un amas de corps hérissés de bras et de jambes obstrue l'escalier roulant. Les clients remontent quatre à quatre l'escalier qui descend, mais refluent sous la poussée d'une vague venue d'en haut. Le temps de s'expliquer, tout le monde arrive au pied de l'escalator et bascule sur le bouchon humain. Ça grouille et ça hurle.

— Merde ! hurle Lehmann, merde, merde, merde...

Il se précipite vers l'escalier en jouant des coudes, plonge sur la manette de commande et immobilise l'engin.

A la porte du photomaton, Théo contemple dans la lumière les quatre exemplaires de sa tronche. Il paraît satisfait. Il me tend une des photos :

— Tiens, dit-il, pour l'album du Petit.

Et puis, ça se calme. Ça se calme, parce que malgré tout, il ne se passe rien. Quelque chose a explosé quelque part, et rien n'a suivi. Alors, ça se calme. Et on peut bientôt entendre la suave Hamilton recommander à notre aimable clientèle de quitter tranquillement le Magasin et prier nos employés de regagner leurs comptoirs. C'est exactement ce qui se passe. La foule reflue doucement vers les sorties. Elle laisse derrière elle un terrain vague de sacs à main, de chaussures, de paquets multicolores et d'enfants abandonnés. Je m'attends à voir une centaine de cadavres. Mais non. Çà et là des employés sont penchés sur des clients à moitié estourbis, qui se relèvent finalement et gagnent les sorties en clopinant.

Une petite porte latérale a été réservée à la police. C'est donc par là que les flics font leur entrée. Ils se dirigent tout droit vers le rayon des jouets. Le rayon des jouets ! Je pense tout de suite à la petite vendeuse écureuil et au vieillard de Théo. Je descends bond par bond l'escalier roulant immobilisé, avec un pressentiment qui, comme tous les pressentiments, se révèle être un faux pressentiment. Le cadavre est celui d'un homme d'une soixantaine d'années qui a dû être ventru si on en juge par ce que son ventre a éparpillé autour de lui. La bombe l'a presque coupé en deux. Tout en vomissant le plus discrètement possible, va savoir pourquoi, je pense à Louna. A Louna, à Laurent, et à l'enfant. Trois fois qu'elle m'appelle : « Un conseil, Ben, ton avis. » Qu'est-ce que je peux bien te conseiller, ma pauvre chérie, tu m'as vu ?

Pensées sauvages pendant que les couvertures tombent sur le client éparpillé.

— Pas beau, hein ?

Le petit flic me gratifie d'un gentil sourire. Dans l'état où je suis, c'est mieux que rien. C'est un peu par gratitude que je réponds, sans engagement de ma part :

— Pas très, non.

Il hoche la tête et dit :

— Eh bien les suicidés du métro, c'est pire !

(Voilà qui est réconfortant...)

— De la barbaque partout, les doigts coincés dans les essieux... J'en cause parce que, comme je suis le plus petit de la brigade, c'est toujours moi qui me les cogne.

Ce n'est pas un flic. C'est un pompier. Un pompier bleu foncé à liséré rouge. Vraiment très petit. Un casque plus gros que lui rutile à son ceinturon.

— Mais le pas supportable, vous voyez, c'est les grands brûlés de la route. Ça, c'est une odeur qui ne vous lâche pas. On l'a dans les cheveux pendant quinze jours !

Il n'y plus de ballons dans le ciel du rayon jouets. Ils ont tous été soufflés par l'explosion, ils sont là-haut, contre la verrière. Quelqu'un emmène ma petite écureuil qui sanglote. Le pompier me désigne le corps recouvert :

— Vous avez remarqué ? Il avait sa braguette ouverte !

(Non. Pas remarqué, non.)

Heureusement, les haut-parleurs nous séparent, l'aimable pompier et moi. (Sauvé par le gong, pour ainsi dire.) Les employés sont invités à quitter le magasin à leur tour. Mais pas Paris. Les besoins de l'enquête. Joyeux Noël.

A l'extrémité du rayon des jouets, je saisis une balle multicolore et la fourre dans ma poche. Une de ces balles translucides qui rebondissent indéfiniment. Moi aussi, j'ai des cadeaux à faire. Au rayon suivant, je l'emmitoufle dans un papier étoilé. Je dépose mon costard de service au vestiaire et je sors.

Dehors, la foule amassée attend de voir sauter le

Magasin tout entier. Le froid glacial m'apprend que je mourais de chaleur. Puisque la foule est dehors, j'espère qu'elle me laissera le métro.

Elle est aussi dans le métro.

3

J'ai une concession de trois-six-neuf au Père-Lachaise, 78, rue de la Folie-Régnault. Au moment où j'arrive, le téléphone est en train d'insister. Je me précipite toujours quand on me sonne.

— Ben, tu n'as rien ?

C'est Louna, ma sœur.

— Comment ça, rien ?

— La bombe, au Magasin...

— Tout le monde a sauté, je suis le seul rescapé.

Elle rigole. Elle se tait. Et puis elle dit :

— A propos de sauter, j'ai pris une décision.

— Quel genre ?

— Le genre petite bombe. Mon petit locataire, je vais le faire sauter. Avortement, Ben. C'est Laurent que je veux garder.

Nouveau silence. Je l'entends qui pleure. Mais de très loin. Elle fait son possible pour me le cacher.

— Ecoute, Louna...

Ecoute quoi ? Histoire classique. Elle, la gentille infirmière et lui, le beau docteur, le coup de foudre, la décision de se regarder dans le blanc de l'œil jusqu'à la mort, elle et lui, et rien d'autre. Mais les années passant, voilà l'envie du troisième qui fait le forcing. La féminine fringale de duplication : La vie.

— Ecoute, Louna...

Elle écoute, mais je ne dis rien, alors elle finit par dire :

— J'écoute.

Et voilà que je parle. Je lui dis que ce petit locataire-là, il faut le garder. Elle a éliminé les précédents parce qu'elle n'aimait pas les papas, elle ne va pas virer celui-ci parce qu'elle aime trop le papa ! Hein ? Louna ? sans blague, arrête de déconner. (« Arrête de déconner toi-même », murmure une petite voix familière dans un de mes replis, « on croirait entendre *Laissez-les vivre* ! ») Mais je continue, je suis lancé :

— De toute façon, ce ne serait plus jamais comme avant, tu lui en voudrais à mort à ton Laurent, je te connais ! Oh ! ça ne serait pas la paire d'ovaires brandie sour le nez de l'avorteur, ce serait plutôt le genre consomption, si tu vois ce que je veux dire.

Elle pleure, elle rit, elle pleure à nouveau. Une demi-heure !

A peine ai-je raccroché, complètement lessivé, que ça resonne.

— Allô, mon tout-petit, ça va ?

Maman.

— Ça va, maman, ça va.

— Une bombe au Magasin, tu te rends compte, c'est pas chez nous qu'on aurait vu ça !

Elle fait allusion à la gentille quincaillerie du rez-de-chaussée où j'ai passé mon enfance à ne pas apprendre le bricolage, et qu'on a fini par transformer en appartement pour les enfants. Elle oublie le rideau de fer de Morel, l'épicier d'en face, soufflé par un pain de plastic, un matin de juin 62. Elle oublie la visite des deux costards croisés qui lui ont demandé de veiller au choix de sa clientèle. Elle est mignonne, elle oublie les guerres, maman.

— Les enfants vont bien ?

— Les enfants vont bien, ils sont en bas.

— Qu'est-ce que vous faites, pour Noël ?

— On reste entre nous cinq.

— Moi, Robert m'emmène à Châlons.

(Châlons-sur-Marne, pauvre maman.) Je dis :

— Vive Robert !

Elle a un gloussement.

— Tu es un bon fils, mon tout-petit.

(Bon, voilà le bon fils..)

— Tes autres enfants ne sont pas mal non plus, ma petite mère.

— C'est grâce à toi, Benjamin, tu as toujours été un bon fils.

(Après le gloussement, le sanglot.)

— Et moi qui vous abandonne...

(Bon, voilà la mauvaise mère...)

— C'est pas de l'abandon, maman, c'est du repos, tu te reposes !

— Quelle mère je suis, Ben, tu peux me le dire ? quelle espèce de mère ?...

Comme j'ai déjà minuté le temps qu'il lui faut pour répondre à ses propres questions, je dépose doucement le combiné sur mon édredon et passe à la cuisine où je me fais un café turc bien mousseux. Quand je retourne dans ma chambre, le téléphone cherche toujours l'identité de ma mère...

— ... c'était ma toute première fugue, Ben, j'avais trois ans...

Café bu, je retourne la tasse dans la soucoupe. Thérèse pourrait lire l'avenir du quartier tout entier dans l'épaisseur du marc qui s'étale.

— ... là, c'était beaucoup plus tard, j'allais sur mes huit ou neuf ans, je crois... Ben, tu m'écoutes ?

C'est juste le moment que choisit le parlophone pour grésiller.

— Je t'écoute, Maman, mais il faut que je te laisse, les mômes m'interphonent ! Allez, repose-toi bien, et n'oublie pas, vive Robert !

Je raccroche et je décroche. La voix aigre de Thérèse me vrille les tympans.

— Ben, Jérémy fait chier, il ne veut pas faire ses devoirs !

— Surveille ton langage, Thérèse, ne parle pas comme ton frère.

Justement, c'est la voix du frère qui explose, maintenant.

— C'est cette conne qui emmerde, elle sait rien m'expliquer !

— Surveille ton langage, Jérémy, ne parle pas comme ta sœur. Et passe-moi Clara, tu veux ?

— Benjamin ?

La chaude voix de Clara. Du velours bien vert, et bien tendu, où chaque mot roule avec la silencieuse évidence d'une boule très blanche.

— Clara ? Comment va le Petit ?

— La fièvre est tombée. J'ai quand même fait revenir Laurent, il dit qu'il faut le garder deux jours au chaud.

— Il a dessiné d'autres Ogres Noël ?

— Une douzaine, mais ils sont beaucoup moins rouges. Je les ai photographiés. Ben, je nous ai fait un gratin dauphinois pour ce soir. Il sera prêt dans une heure.

— J'y serai. Passe-moi le Petit.

Et c'est la petite voix du Petit.

— Oui, Ben ?

— Rien. C'était juste pour te dire que j'ai une photo de Théo pour ton album, et que ce soir je vous raconte une nouvelle histoire.

— Une histoire d'ogre ?

— Une histoire de bombe.

— Ah ? Super quand même...

— Maintenant, il faut que je dorme une heure. Le premier qui s'approche du parlophone, tue-le.

— D'accord, Ben.

Je raccroche et me laisse tomber sur mon plumard, endormi avant de l'atteindre.

C'est un énorme chien qui me réveille, une heure plus tard. Il m'a attaqué par le flanc. J'ai roulé au bas du lit sous la violence du choc et je suis coincé contre le mur. Il en profite pour m'immobiliser complètement et entreprendre la toilette que je n'ai pas eu le temps de faire ce matin. Il pue lui-même comme une décharge municipale. Sa langue sent quelque chose comme la poiscaille rance, le sperme de tigre, le Tout-Paris canin.

Je dis :

— Cadeau ?

Il fait un bond en arrière, s'assied sur son innommable cul, et, langue pendante, me regarde en penchant la tête. Je fouille dans la poche de ma veste, en tire la petite balle empaquetée que je présente en déclarant :

— Pour Julius. Joyeux Noël !

En bas, dans l'ex-quincaillerie, l'odeur muscade du gratin dauphinois plane encore longtemps après que j'ai entraîné les enfants dans le cœur profond du récit. Les yeux m'écoutent au-dessus des pyjamas pendant que les pieds se balancent dans le vide des lits superposés. J'en suis au moment où Lehmann se fraie un passage vers le toboggan fou. Il écarte la foule à grands coups d'un bras mécanique que je lui invente pour la circonstance.

— Comment il l'a paumé, son vrai bras? demande Jérémy aussi sec.

— En Indochine, sur la route de Dalat, au kilomètre 317, une embuscade. Il était tellement aimé de ses hommes qu'ils ont décroché en l'abandonnant, lui et son bras, qui ne tenaient déjà plus ensemble.

— Et comment il s'en est tiré ?

— C'est le capitaine de sa compagnie qui est venu le rechercher tout seul, trois jours plus tard.

— Trois jours plus tard ! Et qu'est-ce qu'il a mangé pendant ces trois jours ? demande le Petit.

— Son bras !

Réponse habile, qui satisfait tout le monde : le Petit a eu son histoire d'ogre, Jérémy son récit de guerre, Clara sa dose d'humour ; quant à Thérèse, raide comme un greffier derrière sa table de travail, elle sténographie comme d'habitude l'intégrale de mon récit, digressions comprises. C'est un excellent entraînement pour son école de secrétariat. En deux années d'exercices nocturnes, elle a déjà recopié les Frères Karamazov, Moby Dick, Fantasia chez les Ploucs, Gosta Boërling, Asphalt Jungle, plus deux ou trois produits de ma propre cave mentale.

Je raconte donc, jusqu'à ce que le clignotement des yeux annonce l'extinction des lumières. Lorsque je referme la porte sur moi, l'arbre de Noël scintille dans l'obscurité. Je ne m'en suis pas trop mal tiré ; ils n'ont pas pensé une seconde à se jeter sur leurs cadeaux. Sauf Julius qui s'ingénie depuis deux heures à défaire son petit paquet sans déchirer le papier.

4

Ce qui suit s'annonce par un coup de sonnette, le lendemain vingt-cinq décembre à huit heures du mat. Je m'apprête à gueuler : « Entrez, c'est ouvert », mais un mauvais souvenir me retient. C'est comme ça que Julius et moi, la semaine dernière, on s'est retrouvés avec un cercueil de bois blanc au milieu du couloir, flanqué de trois déménageurs à la mine constipée. Le plus pâlichon des trois a simplement dit :

— C'est pour le cadavre.

Julius a foncé se réfugier sous le plumard, et moi, les tifs en bataille, les carreaux ternes, j'ai montré mon pyjama avec un air désolé :

— Repassez dans cinquante ans, je suis pas tout à fait prêt.

Donc, on sonne. Je traîne les pieds jusqu'à la porte, suivi de Julius qui a toujours aimé faire connaissance. Une espèce de mastard tout en nuque, vêtu d'un blouson d'aviateur à col fourré, se tient devant moi comme un parachutiste irlandais largué sur la France allemande.

— Inspecteur stagiaire Caregga.

Un bâton blanc promu stylo bille. A peine a-t-il introduit sa masse dans l'apparte que Julius lui visse son museau entre les fesses. Le flic s'assied précipitamment sans foutre de beigne à mon chien. C'est peut-être ce détail qui me fait proposer :

— Café ?

— Si vous en faites pour vous...

Je file à la cuisine. Il demande :

— Vous ne verrouillez jamais la porte ?

— Jamais.

Je pense : « la liberté sexuelle de mon chien me l'interdit », mais je ne le dis pas.

— Je n'ai que quelques questions à vous poser. La routine.

Exactement ce à quoi je m'attendais. C'est le petit réveil des employés modèles du Magasin. Une dizaine de responsables syndicaux, une douzaine de rigolos indépendants, visités prioritairement par les flics. Le cadeau de Noël de la Direction à ses petits chéris.

— Vous êtes marié ?

L'eau sucrée chante dans la cafetière de cuivre.

— Non.

J'y verse trois cuillerées de café moulu turc, et je tourne lentement jusqu'à ce que ça prenne le velouté de la voix de Clara.

— Les enfants, en bas ?

Puis je repose le tout sur le feu et fais monter, en prenant soin de ne pas laisser bouillir le café.

— Demi-frères et demi-sœurs, ce sont les enfants de ma mère.

Le temps de laisser son petit crayon noircir son

petit carnet, l'inspecteur Caregga lâche la question suivante :

— Et les pères ?

— Eparpillés.

Je jette un coup d'œil par la porte de la cuisine, Caregga écrit avec application que ma pauvre mère éparpille les hommes. Puis je fais mon apparition, cafetière et tasses à la main. Je verse le jus épais. J'arrête la main de l'inspecteur qui se tend.

— Attendez, il faut laisser reposer le marc avant de boire.

Il laisse reposer.

Julius, assis à ses pieds, le regarde avec passion.

— Quelle est votre fonction, au Magasin ?

— Me faire engueuler.

Il ne moufte pas. Il inscrit.

— Métiers antérieurs ?

Bigre, l'énumération risque d'être longue : manutentionnaire, barman, taxi, prof de dessin dans une institution pieuse, enquêteur-savonnettes, j'en oublie probablement, et Contrôle Technique au Magasin, mon dernier boulot.

— Depuis ?

— Quatre mois.

— Ça vous plaît ?

— C'est comme tout. Beaucoup trop payé pour ce que je fais, mais pas assez pour ce que je m'emmerde.

(Elevons le débat, que diable !)

Il note.

— Vous n'avez rien remarqué d'anormal, hier ?

— Si, une bombe a explosé.

Là, tout de même, il lève la tête. Mais c'est

exactement sur le même ton impassible qu'il précise :

— Je veux dire *avant* l'explosion.

— Rien.

— Il paraît que vous avez été appelé trois fois au bureau des Réclamations.

Nous y voilà. Je lui raconte la cuisinière, l'aspirateur et le frigo pyromane.

Il fouille dans sa poche intérieure, puis étale devant moi le plan du Magasin.

— Où se trouve le bureau des Réclamations ?

Je le lui désigne.

— Vous êtes donc passé au moins trois fois devant le rayon des jouets ?

C'est qu'il déduit, le bougre !

— En effet.

— Vous y êtes-vous arrêté ?

— Dix secondes au troisième voyage, oui.

— Rien remarqué d'anormal ?

— A part le fait que j'ai été braqué par un AMX30, rien.

Il note en silence, recapuchonne son stylo, boit son café d'un trait, marc compris, se lève, et dit :

— Ce sera tout, ne quittez pas Paris, on pourrait avoir d'autres questions à vous poser, au revoir, merci pour le café.

Voilà. Il n'y a pas que dans les films qu'on reste longtemps à regarder une porte refermée. Julius et moi sommes séduits par la franche nature de l'inspecteur Caregga. Grand avenir dans la brigade du rire, ce garçon. Mais je tiens déjà le récit que je servirai ce soir aux enfants. Ce sera le même, à ceci près que les répliques fuseront, marquées au sceau d'un humour définitif, qu'on se séparera dans un mélange explosif de haine, de méfiance et d'admiration, et que les flics seront deux, deux affreux de mon invention que les enfants connaissent bien : un petit, hirsute, avec une laideur tourmentée de hyène, et un énorme chauve — à l'exception des deux pattes « qui abattent leurs points d'exclamation sur ses maxillaires puissants ».

— Jib la Hyène et Pat les Pattes ! hurlera le Petit.

— Jib la Hyène, pour son nom et sa gueule, précisera Jérémy.

— Pat les Pattes, pour son nom et ses tifs, précisera le Petit.

— Plus méchant qu'Ed Cercueil et plus fou que le Tchèque en Bois.

— Ils sont amis ? demandera Clara.

— Quinze ans qu'ils ne se quittent pas, répondrai-je. On ne compte plus les fois où ils se sont sauvé la vie.

— Qu'est-ce qu'ils ont comme bagnole ? demandera Jérémy qui adore la réponse.

— Une Peugeot 504 décapotable rose, 6 cylindres en V, dangereuse comme un brochet.

— Leur signe astral ? demandera Thérèse.

— Taureau tous les deux.

Quand je rejoins les enfants, après le départ de Caregga, le sapin de Noël brille de tous ses feux, comme on dit. Jérémy et le Petit poussent des cris de mouettes dans un océan de papier cadeau. Thérèse, sourcils professionnels, recopie mon récit d'hier soir sur une machine à marguerite flambant neuve. Louna, en visite, regarde le tableau de famille, la larme à l'œil et les pieds en canard comme si elle était enceinte de six mois. Je note l'absence de Laurent. Clara vogue à ma rencontre, dans une robe en jersey qui lui fait un joli corps de flamme. Elle tient à la main le vieux Leica qu'elle m'enviait en silence depuis des années et que j'ai fini par sacrifier à sa passion pour la photo. La robe, c'est Théo qui l'a choisie. Dans ce domaine, il faut toujours s'en remettre aux hommes qui préfèrent les hommes. (C'est peut-être un préjugé.)

— Tiens, Benjamin, c'est pour toi.

Ce que me tend Clara est joliment empaqueté. C'est dans une boîte en carton, c'est dans du papier de soie, c'est une paire de charentaises fourrées à la crème Chantilly, c'est exactement ce dont j'avais envie, c'est Noël.

5

Le lendemain 26, reprise du boulot. Comme chaque jour, Julius m'accompagne au métro Père-Lachaise, puis s'en va draguer à Belleville pendant que je vais gagner sa pâtée. Sa baballe toute neuve est coincée entre ses mandibules baveuses depuis avant-hier soir.

Dans le journal que je viens d'acheter, on s'étend longuement sur le « monstrueux attentat du Magasin ». Comme un seul mort ne suffit pas, l'auteur de l'article décrit le spectacle auquel on *aurait pu* assister s'il y en avait eu une dizaine ! (Si vous voulez vraiment rêver, réveillez-vous...) Puis le journaleux consacre tout de même quelques lignes à la biographie du défunt. C'est un honnête garagiste de Courbevoie, âgé de soixante-deux ans, que le quartier pleure à chaudes larmes, mais qui « par bonheur » était célibataire et sans enfants. Je n'hallucine pas, j'ai bien lu « par bonheur célibataire et sans enfants ». Je regarde autour de moi : le fait que le Dieu Hasard bute « par bonheur » les célibataires en priorité, ne semble pas perturber le petit monde familial du métropolitain. Ça me met de si bonne humeur que je descends à République, résolu à faire le reste du chemin à pied. Matin d'hiver, sombre, poisseux, glacial, encombré. Paris est une flaque où s'englue le jaune des phares.

Je craignais d'arriver en retard, mais le Magasin est plus en retard que moi. Avec ses stores de fer baissés sur ses immenses vitrines, il fait l'effet d'un paquebot en quarantaine. De ses chaudières souterraines monte une vapeur qui s'effiloche dans le brouillard matinal. Par-ci, par-là, de petites trouées lumineuses m'indiquent pourtant que le cœur bat. Il y a de la vie, là-dedans. J'y pénètre donc et suis aussitôt inondé de lumière. Chaque fois, c'est le même choc. Autant il fait sombre dehors, et sinistre, autant ça brille à l'intérieur. Toute cette lumière qui tombe en cascade silencieuse des hauteurs du Magasin, qui rebondit sur les miroirs, les cuivres, les vitres, les faux cristaux, qui se coule dans les allées, qui vous saupoudre l'âme — toute cette lumière n'éclaire pas : elle invente un monde.

C'est à quoi je rêve pendant qu'un flic aux doigts agiles me fouille des pieds à la tête, pour constater enfin que je ne suis pas une bombe atomique, et me laisser passer.

Je ne suis pas le premier arrivé. La plupart des employés sont déjà rassemblés dans les allées du rez-de-chaussée. Ils regardent tous en l'air. Une majorité de femmes. Leurs yeux brillent d'un éclat louche comme si elles entendaient le Saint-Esprit. Là-haut, sur la passerelle de commandement, Sainclair roucoule dans un micro. Il rend hommage à « l'admirable tenue du personnel » lors des derniers « événements ». Il assure toute la sympathie de la Direction à Chantredon — le type qui a voyagé à travers la vitrine des cosmétiques et qui panse ses plaies à l'hosto. Il s'excuse auprès de ceux que la police a visités hier. Tous les employés devront y passer « y compris la Direction », mais dans le seul but « d'apporter à l'enquête tous les éléments nécessaires à une heureuse conclusion ».

En ce qui le concerne, lui, Sainclair, il n'imagine pas une seconde que l'attentat ait pu être le fait « d'un de mes collaborateurs ». Car nous ne sommes pas ses « employés », mais bien ses « collaborateurs », comme il l'a solennellement déclaré au Conseil d'Administration. Mille excuses aux « collaborateurs » pour la petite fouille, à l'entrée. Lui-même s'y est prêté, et les clients la subiront aussi, tant que l'enquête durera.

Je regarde Sainclair. Il est tout jeune. Il est tout beau. Il a vite grimpé. Il a l'autorité douce. Il sort d'une boîte supérieure de commerce où on lui a d'abord appris à poser sa voix et à s'habiller. Le reste est venu tout seul. Il parle presque tendrement, et sous sa blonde mèche filtre un doux regard cerné de tristesse. Il a mal au Magasin, Sainclair. Les collaborateurs qui l'entourent, chef du personnel, responsables d'étage, gardes-chiourme de Première classe, ont davantage la gueule de l'emploi. Ils sont tous alignés au cordeau, le long de la balustrade dorée du premier étage. Ils ont des mines de circonstance. En tendant l'oreille, on pourrait entendre pousser les médailles sur leurs poitrines responsables. L'idée me fait rigoler. Je rigole. Le type qui est devant moi se retourne. C'est Lecyfre, le délégué C.G.T. en chair et en nuances.

— Ça va comme ça, Malaussène, ferme ta petite gueule.

Mes regards se portent sur la foule extatique, puis sur la nuque rase de Lecyfre, puis de nouveau sur la tribune officielle. Pas de doute, il a un don, Sainclair. Il a compris un truc que je ne comprendrai jamais.

Je laisse la messe continuer sans moi et me rends au vestiaire. J'ouvre mon armoire métallique, sors mon costume de fonction. Il n'est pas à moi. C'est un prêt de la maison. Ni trop ringard ni trop mode. Juste un petit je ne sais quoi de grisaille, de vieillot, de trop honnête. Le costard de quelqu'un qui aimerait bien s'en offrir un autre. Je le tiens à bout de bras, comme si c'était la première fois. Une voix gouailleuse me tire de ma rêverie :

— T'es sur un coup, Ben ? Tu veux échanger avec un des miens ?

C'est Théo, fringué Cerutti, ce matin. Il change si souvent de costume pour ses séances de photomaton que son armoire en est bourrée et qu'il a également investi la mienne. Nous faisons clef commune. Chaque matin, mon costume de fonction, je l'extirpe de sa garde-robe ritalo-hollywoodienne.

— Sans blague, tu en veux un ? Sers-toi !

Ma main refuse.

— Merci, Théo, je me demandais juste, en considérant la gaieté de l'uniforme, si j'étais vraiment fait pour ce boulot.

Là, il se fend largement la pêche.

— C'est exactement la question que je me pose devant ma garde-robe tous les matins. Je me dis que j'étais fait pour être hétéro, eh bien voilà, je suis pédé.

Sur quoi, nous nous retrouvons tous les deux au sous-sol, le royaume du bricolage, son empire. Il s'y pointe tous les matins une bonne demi-heure avant ses vendeurs. Il parcourt les allées vides comme Buonaparte les rangs serrés de ses troufions avant l'hécatombe. Le moindre écrou manquant à l'appel lui saute aux yeux, la plus petite trace de confusion dans les présentoirs le blesse cruellement.

— C'est que mes petits vieux foutent une pagaille terrible !

Il soupire. Il remet en place. Il pourrait ordonner le sous-sol tout entier, les yeux fermés. C'est son territoire. Quand nous y sommes tous les deux seuls, il y règne un silence d'avant la création du monde.

— Clara a aimé sa robe ?

— Une merveille sur une merveille, Théo.

Nous chuchotons. Il trouve un carillon électrique dans le baquet des roulettes de fauteuils.

— Tu vois, chez mes vieux, c'est la mémoire qui coince d'abord. Ils prennent n'importe quoi et le reposent n'importe où pour faucher autre chose. Avides et passionnés comme des bébés…

Le règne des petits vieux de Théo date du temps où il était simple vendeur, aux outils. Il était si gentil avec les débris du quartier qu'ils venaient bricoler tranquillement sur ses établis, des journées entières, de plus en plus nombreux.

— Je viens de la rue, je sais ce que c'est, j'ai pas envie de les y laisser, ils pourraient mal tourner.

C'est ce qu'il répond à ceux qui râlent contre cette invasion de centenaires.

— Ici, ils ont l'impression de se reconstruire un monde, ça mange pas de pain.

Plus il est monté en grade, Théo, plus le nombre des petits vieux a augmenté. Il en venait des hospices les plus éloignés. Et, depuis que Sainclair l'a sacré Empereur de la Bricole (non seulement il peut reconstruire Paris avec n'importe quoi, mais encore il peut vendre une tondeuse à gazon à qui veut aménager sa salle de bains), le sous-sol tout entier appartient aux petits vieux de Théo.

— Un avant-goût de leur paradis.

— Où les as-tu dégotées, ces blouses grises ?

— Liquidation d'un orphelinat, à côté de chez moi. Avec ça sur le dos, au moins, je sais toujours où ils sont.

A midi, dans le petit restau où nous fuyons la cantine, Théo se paie un soudain fou rire.

— Tu sais quoi ?

— Quoi ?

— Lehmann fait courir le bruit que je suis gérontophile. Comme qui dirait le pédophile du troisième âge, tu vois ?

(Tendre Lehmann...)

— Tiens, à propos de pédophilie, tu donneras ça au Petit, pour son album.

C'est une nouvelle petite photo. Costume lie-de-vin, velours de soie, mimosa à la boutonnière. Derrière : la légende, que le Petit recopiera avec pleins et déliés.

« *Ça, c'est quand Théo fait le bateau-mouche.* »

Comprenne qui voudra. Théo comprend, lui. Et les innombrables amis de Théo, qui trouvent ces messages photographiques épinglés sur sa porte quand il n'est pas là. Et le Petit ? Devrais-je interdire cette collection ? Je sais bien que l'enfance n'est pas son rayon à Théo, mais tout de même...

6

En début d'après-midi, deux ou trois réclamations sont déjà tombées dans la corbeille. Dont une sérieuse emmerde côté literie. Lehmann me fait appeler. Je passe devant le rayon des jouets. Aucune trace de l'explosion. Le comptoir n'a pas été réparé, mais remplacé, dans la nuit, par le même, exactement. Impression étrange, comme s'il n'y avait pas eu d'explosion, comme si j'avais été victime d'une hallucination collective. Comme si on cherchait à me découper un morceau de mémoire. Ces pensées démoralisantes pendant que l'escalier roulant plonge le rayon des jouets dans les profondeurs grouillantes du Magasin.

Le type qui râle chez Lehmann a les épaules si larges qu'elles obstruent la porte vitrée. Un dos à provoquer des éclipses de soleil. Du coup, je ne vois pas la tête de Lehmann. Si j'en juge par le frémissement des muscles, sous le blazer du client, et par la veine qui palpite sous la peau rougie de son cou, il ne doit pas en mener large, Lehmann. Ce qui se tient debout en face de lui n'est pas précisément du genre colosse débonnaire. Un sanguin qui n'élève pas la voix. Les pires. Il n'a pas fait un seul pas dans le bureau. Il a refermé la porte derrière lui, et murmure ses griefs, doigt tendu vers Lehmann. Je frappe trois petits coups discrets. A peine toc, toc, toc.

— Entrez !

Ouh ! là, angoisse dans la voix de Lehmann. Le mastodonte ouvre lui-même la porte, sans se retourner. Je me faufile entre son bras et le chambranle avec la souplesse craintive du chien battu.

— Trois jours d'hosto et quinze d'arrêt de travail, il va y laisser son calbute, votre Contrôle Technique.

C'est la voix du client. Neutre, comme je m'y attendais, et remplie d'une dangereuse certitude. Il n'est pas venu se plaindre, ni discuter, ni même exiger — il est venu imposer son droit par sa force, c'est tout. Suffit de lui jeter un coup d'œil pour comprendre qu'il n'a jamais eu d'autre mode d'emploi. Suffit de lui en jeter un second pour constater que ça ne l'a pas mené bien haut dans la hiérarchie sociale. Il doit avoir un cœur qui le gêne quelque part. Mais Lehmann ne sent pas ces choses-là. Habitué à filer des coups, il n'a peur que d'une chose : en prendre. Et sur ce terrain-là, l'autre est crédible.

Je mets suffisamment de terreur dans mon regard pour que Lehmann trouve enfin le courage de m'affranchir. En deux mots comme en mille, M. Machin, ici présent, plongeur sous-marin de son état (pourquoi ce détail ? pour authentifier le muscle ?) a commandé, la semaine dernière, un lit de 140 au rayon meubles plein bois.

— Le plein bois, c'est bien votre secteur, Malaussène ?

Oui timide de mon bonnet.

— A donc demandé un lit de 140, noyer chantourné, ref. T. P. 885, à vos services, monsieur Malaussène, lit dont les deux pieds de tête se sont brisés au premier usage.

Pause. Coup d'œil au plongeur dont la mâchoire inférieure torture un atome de chewing-gum. Coup d'œil à Lehmann qui n'est pas mécontent de me refiler le paquet.

— La garantie, dis-je...

— La garantie jouera, mais votre responsabilité est engagée ailleurs, sinon, je ne vous aurais pas fait venir.

Gros plan sur mes godasses.

— Il y avait quelqu'un d'autre, sur ce lit.

Ce genre de plaisirs, même au plus profond de sa trouille, Lehmann ne pourra jamais s'en passer.

— Une jeune personne, si vous voyez ce que je...

Mais le reste s'évapore sous le regard chalumeau du mastard. Et c'est lui-même qui achève, laconique :

— Une clavicule et deux côtes. Ma fiancée. A l'hôpital.

— OOOH !

C'est un vrai cri que j'ai poussé. Un cri de douleur. Qui les a fait sursauter tous les deux.

— OOOH !

Comme si on m'avait frappé à l'estomac. Puis, compression de ma cage thoracique par la pointe de mon coude, juste au-dessous du sein, et je deviens aussi blanc que les draps du plumard fatal. Cette fois, Hercule fait un pas en avant, esquissant même le geste de me rattraper au cas où je tomberais dans les vapes.

— J'ai fait ça ?

Voix blanche, début d'asphyxie. Chancelant, je m'appuye au bureau de Lehmann.

— J'ai fait ça ?

D'imaginer seulement cette montagne de barbaque tombant du haut de son plongeoir sur les corps de Louna ou de Clara, et faisant sauter tous leurs osselets, suffit à me sortir des larmes certifiées conformes. Et, c'est le visage ruisselant que je demande :

— Comment s'appelait-elle ?

Le reste marche comme sur des roulettes. Sincèrement ému par mon émotion, M. Muscle se dégonfle d'un seul coup. Impressionnant. On croirait presque voir la forme de son cœur. Lehmann en profite aussitôt pour me charger méchamment. Je lui présente ma démission en sanglotant. Il ricane que ce serait trop facile. Je supplie, arguant que le Magasin ne peut vraiment rien attendre d'une nullité de mon espèce.

— La nullité, ça se paye, Malaussène ! Comme le reste ! *Plus* que le reste !

Et il se propose de me la faire payer si cher, ma nullité, que l'énorme client traverse soudain la pièce pour venir poser ses deux poings sur son bureau.

— Ça vous fait bicher, de torturer ce type ?

« Ce type », c'est moi. Ça y est, me voilà sous la protection de Sa Majesté le Muscle. Lehmann souhaiterait son fauteuil plus profond. L'autre s'explique : déjà, à l'école, ça lui foutait les boules de voir des caves s'attaquer à plus faible qu'eux.

— Alors, écoute-moi bien, bonhomme.

« Bonhomme », c'est Lehmann. Couleur de cierge. De ces cierges qu'on brûle pour que ça passe. Ce qu'il a à écouter est simple. Primo, l'autre retire sa plainte. Deuxio, il viendra bientôt vérifier si je suis toujours en poste. Tertio, si je n'y suis plus, si Lehmann m'a fait jeter...

— Je te casse comme ça !

« Ça », c'est la jolie règle d'ébène de Lehmann, souvenir colonial, qui vient de péter net entre les doigts de mon sauveur.

Lehmann ne revient tout à fait à lui que lorsque l'escalier roulant avale le dernier centimètre cube du mastard. C'est alors seulement qu'il se frappe la cuisse et entreprend de se marrer comme une baleine. Je ne partage pas son hilarité. Pas cette fois. J'ai suivi jusqu'au bout la retraite de l'autre musclé. (« Te laisse pas bouffer le foie par ces fumiers, petit, attaque ! » il m'a dit ça en se taillant) et je me suis une fois de plus parlé comme à un autre. Il pensait s'attaquer au Magasin, Dumuscle, à un Empire, ou tout du moins au Contrôle Technique, à une Institution, puissamment abstraite, et il s'était armé en conséquence. Bayard soi-même, prêt à agenouiller la garnison à lui tout seul. Et voilà qu'il tombe sur un petit mec sans âge, (yourself Malaussène !) qu'il croit tout près de la mort, et il fond, le pauvre bougre, comme il a toujours fondu, par excès d'humanité. Quand il a tourné les talons, mon plongeur, j'ai regardé ses godasses, et j'ai pensé : « J'espère que tes palmes sont en meilleur état. »

J'ouvre la porte à mon tour :

— Ça suffit pour aujourd'hui, Lehmann, je rentre chez moi, Théo me remplacera si nécessaire.

Le rire de Lehmann se coince dans sa gorge.

— Cette lope n'est pas payée pour ça !

— Personne ne devrait être payé pour ça.

Il met tout le mépris possible dans son sourire avant de répondre :

— C'est bien mon avis.

(Tu le mériterais, ton bras mécanique, Ducon.)

Quand je redescends, le rayon des jouets est noir de monde.

— C'est la première fois qu'on vend davantage un 26 décembre qu'un 24 !

La remarque vient de ma petite rouquine à tête d'écureuil. Elle s'adresse à sa copine, plutôt genre belette, occupée à empaqueter un Boeing 747. La copine opine. Ses longs doigts glissent à une allure prodigieuse sur un papier bleu nuit étoilé de rose, qui se transforme de lui-même en paquet. A côté de l'emballeuse, sur une tablette de démonstration, une réplique robotisée de King Kong montre ce qu'elle sait faire. C'est un gros singe noir, épais, velu, plus vrai que nature. Il marche sur place. Il porte dans ses bras une poupée demi nue qui ressemble à Clara endormie. Il marche et pourtant n'avance pas. Il rejette de temps en temps la tête en arrière. Ses yeux rouges et sa gueule béante lancent des éclairs. Il y a une vraie menace entre le noir opaque du poil, le rouge sanglant du regard et le pauvre petit corps, si blanc dans ses terribles bras. (Bon Dieu, c'est pourtant vrai que ce boulot commence à me peser... et c'est vrai que cette poupée ressemble à ma Clara...)

7

Quand j'arrive chez moi, le gros singe noir me marche toujours dans la tête. Et quand le téléphone sonne, j'ai toutes les peines du monde à dire seulement « allô ».

— Ben ?

C'est Louna.

— Ben, je vais faire sauter le petit locataire.

Ah non ! je n'ai pas envie de remettre ça, pas ce soir.

Je réponds, d'une voix méchante :

— Qu'est-ce que tu attends de moi ? Que j'allume la mèche ?

Elle raccroche.

La première chose que je vois, en raccrochant à mon tour, c'est la gueule hilare de Julius le chien, dans l'encadrement de la porte. Il n'a pas lâché sa balle de la journée. Je le regarde d'un air mauvais. Je dis :

— Non, pas ce soir !

Il s'incorpore illico au tapis. Moi, je m'endors. Une heure après, à mon réveil, je décroche l'interphone.

— Clara ? J'ai besoin de prendre l'air, je vous rejoins après le dîner.

— D'accord, Ben. Ton Leica a fait des photos formidables, je te montrerai.

Julius est toujours aplati. Il me zieute avec un air de douloureuse interrogation. Cet autre maître lui pose problème. Heureusement, il le rencontre assez rarement.

Je demande :

— On va se promener ?

Il saute sur ses pattes. Toujours d'accord pour sortir, toujours content de rentrer, Julius. Un chien.

Il n'y a pas que le Magasin qui saute. Belleville aussi. Avec toutes ces façades manquantes le long de ses trottoirs, le Boulevard ressemble à une mâchoire édentée. Julius baguenaude, le pif au ras du sol, en battant frénétiquement de la queue. Il s'accroupit brusquement pour élever au beau milieu de l'allée centrale un somptueux monument à la gloire de l'odorat canin. Puis il fait une dizaine de mètres, son large cul bien dressé, assez fier de lui, lorsque soudain il s'immobilise, comme s'il avait oublié quelque chose d'important. Il gratte alors l'asphalte comme un furieux avec ses pattes arrière. Il n'est ni à la hauteur de sa crotte ni dans la bonne direction, mais il s'en fout. Il s'acquitte, Julius, il fait ce qu'il a à faire. Ce n'est pas un comptoir de grand magasin, lui : il a de la mémoire. Même s'il ne sait plus ce qu'il y a dedans.

Cent mètres plus loin, la voix lamentable d'un muezzin s'élève dans le crépuscule bellevillois. Je sais ce qui lui tient lieu de minaret. C'est une petite fenêtre carrée, une aération de chiottes ou une lucarne de palier, entre le troisième et le quatrième étage d'une façade décrépite. Je me laisse un moment porter par les jérémiades de ce curé venu d'ailleurs. Il dégoise une sourate où il doit être question d'une rose trémière poussant sa tige sacrée dans les calcifs du Prophète. Il y a là-dedans une douleur d'exil peu supportable. Pour la première fois, je revois le mort éparpillé du Magasin. Puis je pense à Louna et me traite de salaud. Et de nouveau les tripes du garagiste de Courbevoie. J'ai juste le temps de m'adosser à un arbre pour ne pas me répandre une seconde fois. C'est en comptant les pas que je traverse le boulevard pour entrer chez Koutoubia.

Julius file directement trouver Hadouch à la cuisine. La voix du muezzin est recouverte par les conversations et les claquements des dominos. La fumée stagne et la plupart des types sont assis derrière des pastis. M'est avis que le frère musulman de la lucarne a du travail sur la planche pour rappeler son monde à la pureté de l'Islam !

Dès qu'il m'aperçoit, le vieil Amar m'offre son plus large sourire. Je suis toujours surpris par la blancheur de ses cheveux. Il fait le tour de son comptoir et me prend dans ses bras.

— Alors, mon fils, ça va ?

— Ça va.

— Et ta mère, ça va ?

— Ça va. Elle se repose. A Châlons.

— Et les enfants, ça va ?
— Ça va.
— Tu ne les as pas amenés ?
— Ils font leurs devoirs.
— Et ton travail, à toi, ça va ?
— Ça boume !

Il m'installe à une table, tend une nappe de papier en un tournemain, s'appuie en face de moi, sur ses bras tendus, et me sourit. Je demande :

— Et toi, Amar, ça va ?
— Ça va, je te remercie.
— Et les enfants, ça va ?
— Ça va, je te remercie.
— Et ta femme ? Ta femme Yasmina, ça va ?
— Ça va, à la grâce de Dieu.
— Quand est-ce que tu lui en fais un autre ?
— Je rentre à Alger la semaine prochaine pour lui faire le dernier.

On rigole. Yasmina m'a plus d'une fois servi de mère quand j'étais môme et que ma mère servait ailleurs.

Amar s'occupe des autres clients. Hadouch dépose devant moi un couscous qu'il faudra que j'avale, si je ne veux pas dans la même soirée offenser le Prophète et ses fidèles.

Constatant mon piètre appétit, Amar s'assied en face de moi.

— Ça va pas, hein ?
— Non, ça va pas.
— Je t'emmène avec moi à Alger ?

Why not ? Pendant quelques secondes, je laisse l'idée déposer dans ma cervelle sa lumineuse traînée de plaisir. Amar insiste.

— Hein ? Hadouch s'occupera du chien et des enfants.

Mais la face plate de l'inspecteur stagiaire Caregga me rappelle à l'ordre.

— Pas possible, Amar.

— Pourquoi ?

— A cause du boulot.

Il me regarde incrédule, mais il se dit qu'à chacun son chacal, et se lève en me tapant sur l'épaule.

— Je t'apporte un thé.

La voix d'Oum Kalsoum s'élève du scopitone. Sur l'écran, défile la foule immense de son enterrement. Je laisse le chant s'évanouir et quitte le restau, Julius sur les talons. Le rire de Hadouch nous poursuit un instant :

— La prochaine fois, je ne lui donne pas à bouffer, je le lave, ton clébard !

Aux enfants, je raconte les débuts tâtonnants de l'enquête, mes deux flics, Jib la Hyène et Pat les Pattes, fouillant sans pincettes la vie privée des « collaborateurs » de Sainclair, l'équipe de fantômes remplaçant nuitamment le comptoir des jouets, l'héroïsme du Magasin qui continue de vendre sous la menace, comme si de rien n'était. (The show must go on !) Tout autour de nous, des cordes sont tendues, où sèchent les photos de Clara. (Combien cette passion vole-t-elle d'heures à la préparation de son bac de français ?) Il y a là des photos de l'ogre Noël du Petit. D'autres racontent la disparition de Belleville et le surgissement de ces aquariums lisses qui feront la belle ville de demain. Et puis une photo de maman, toute jeune — à l'époque de ma naissance, par là. Déjà dans l'œil cette soif d'ailleurs.

— Tu avais le négatif ?

— Non, j'en ai fait un tirage.

— On va l'encadrer, déclare Jérémy, comme ça, elle pourra plus se tailler.

Thérèse sténographie absolument tout ce qui se dit, sans distinction, comme si cela entrait dans un même et gigantesque roman. Puis, tout à coup, son regard fixe de nonne anorexque rivé sur moi :

— Ben ?

— Thérèse ?

— Le mort, le garagiste de Courbevoie...

— Oui ?

— J'ai fait son thème astral, il devait mourir comme ça.

Clara me jette un rapide coup d'œil. Je vérifie que le Petit s'est endormi et fusille Jérémy du regard pour qu'il remballe ses vannes habituels. Cela fait, je mets sur mon beau visage autant d'intérêt que je le peux.

— Vas-y, on t'écoute.

— Il est né le 21 janvier 1919, Ben, c'est dans son avis de décès. Ce jour-là, Mars était en conjonction avec Uranus à 325°, eux-mêmes en opposition de Saturne à 146°.

— Sans blague ?

— Tais-toi, Jérémy.

— Mars, l'action, conjoint à Uranus, planète des troubles violents, en opposition avec Saturne, indique un tempérament créatif et maléfique.

— T'es sûre ?

— Jérémy, tais-toi.

— Mars et Uranus en 8e maison annoncent une mort violente, la mort proprement dite intervenant par le transit de Mars sur la Lune Radicale, ce qui était exactement le cas ce 24 décembre !

— Nooon ? !

— Jérémy...

8

Il n'y a pas eu de bombe le lendemain. Ni le jour d'après. Ni les jours suivants. L'inquiétude des collègues est peu à peu retombée. Ce n'est bientôt plus un sujet de conversation. C'est à peine un souvenir. Le Magasin a repris son rythme de croisière. Il vogue au large des contingences explosives. Lehmann joue les quartiers-maîtres avec plus de zèle que jamais. Les petits vieux de Théo se prennent pour des bâtisseurs d'empire. Théo lui-même enrichit chaque jour l'album du Petit. Les flics continuent de fouiller employés et clients qui lèvent les bras en rigolant. Sainclair a perdu huit cents collaborateurs pour retrouver huit cents employés. Lecyfre répercute les mots d'ordre C.G.T., Lehmann les mots d'ordre « Maison ». Je me fais convenablement engueuler. Paumés dans mon imagination qui se vide, Jib la Hyène et Pat les Pattes commencent à tirer la langue. Les enfants me menacent de me remplacer par la télé si je flanche. Louna ne me téléphone plus. Tout est rentré dans l'ordre. Jusqu'au 2 février.

La fille est très belle. Dans le genre léonin. Une

chevelure rousse tombe en vagues épaisses sur ses larges épaules qu'on devine musclées. Elle a des hanches italiennes qui se balancent paisiblement. Elle n'est plus si jeune. Elle est dans l'âge des plénitudes sympathiques. Le haut de sa jupe, plaqué sur ses fesses, révèle la trace d'un slip minimaliste. Comme je n'ai rien d'autre à faire qu'à attendre un appel de Miss Hamilton, je décide de suivre ma belle apparition. Elle trifouille par-ci par-là dans les étalages. Ses bras demi nus sont cerclés d'une argenterie moyennement orientale. Elle a de longs doigts nerveux, bruns et souples, qui ne saisissent qu'en s'enroulant. Je la suis avec l'aisance du poisson que je suis devenu dans l'eau trouble de ce magasin. Je joue à la perdre pour me donner le plaisir de la retrouver au croisement de deux allées. Lors de ces rencontres faussement inopinées, je laisse l'adrénaline dresser tous mes petits cheveux intérieurs. Une chose me tracasse, je n'arrive pas à débusquer son regard. Sa crinière est trop fournie. Et trop mouvante. Quant à elle, il va sans dire qu'elle ne me remarque pas. (Transparence de mon costume de fonction.) Le petit jeu dure un certain temps, et j'atteins à un état de désir absolu, quand la chose se produit. Elle flânait depuis cinq bonnes minutes devant le rayon des shetlands. Tout à coup, ses doigts jaillissent, s'enroulent, un petit pull est entièrement aspiré dans le creux de sa main, puis sa main avalée par son sac, lequel déglutit, et recrache une main vide.

Je l'ai vue. Mais de l'autre côté du comptoir, Cazeneuve, le flic approprié, l'a vue aussi. Heureusement, je suis plus près d'elle que lui. Pendant qu'il sort ses crocs en faisant le tour du rayon, je franchis, moi, les deux pas qui me séparent de ma belle voleuse. Je plonge ma main dans le sac en la forçant à se retourner vers moi, et je retire le pull que je plaque sur ses épaules comme si je le lui essayais. En même temps, je murmure entre mes dents, avec un air réfléchi :

— Ne faites pas la conne, le mouchard de service est juste derrière vous.

Non seulement elle a le réflexe de ne pas protester, mais elle s'exclame d'une belle voix rauque :

— Il me va bien, non ? Qu'est-ce que tu en penses ?

Pris de court, je réponds n'importe quoi.

— Très bien avec tes yeux, tante Julia, mais pas avec tes cheveux.

En fait, je ne vois que ses yeux. Deux amandes pailletées d'or, bordées de cils qui me chatouillent presque le nez. Derrière ces merveilles, deux autres yeux me fusillent. Ce sont les sabords de Cazeneuve. Je jette négligemment le pull sur le comptoir, en choisis un autre que je tends devant la fille, en reculant la tête, avec un air connaisseur. Revenu à lui, Cazeneuve intervient. Il n'y va pas par quatre chemins.

— Arrête ton cirque, Malaussène, j'ai très bien vu cette fille faucher le premier pull.

— « Cette fille » ? c'est une façon de parler à la clientèle, Cazeneuve ? Un bon garçon comme toi ?

Je dis cela sur le ton rêveur de quelqu'un qui pense à autre chose. C'est que le second pull (c'est décidé, je m'établis dans les fringues !) sied à ravir à ma gentille lionne. Et je dis :

— Celui-là te va très bien, tante Julia.

Je ne suis pas le seul à admirer « tante Julia ». Un certain nombre de clients retiennent leur souffle. Dont un vieux couple à l'air attendri et aux cheveux blanchissimes, porteur d'un cabas vert, et qui nous mange littéralement des yeux.

— Malaussène, s'il te plaît, ne m'empêche pas de faire mon travail.

C'est Cazeneuve qui grince. Pendant ce temps, non loin de là, un des petits vieux de Théo fauche un vibromasseur.

— Je ne t'empêche pas de faire ton boulot, Cazeneuve, je t'empêche d'y prendre trop de plaisir.

— Mademoiselle, vous avez mis ce shetland dans votre sac, je vous ai vue !

La fille s'accroche à mon regard comme à une bouée de sauvetage. Visage large, pommettes saillantes, lèvres humides.

— Est-ce que je te demande où tu vas te faire bronzer, Cazeneuve ?

Là, j'ai tapé dans le mille. Sa jolie gueule de terre cuite, Cazeneuve se la fait reluire gratis, tous les jours, au rayon maison des lampes solaires. J'ajoute :

— Fiche la paix à tante Julia ou tu vas recevoir une baffe.

C'est alors que la chose se produit, comme au ralenti, dans le Magasin qui se serait immobilisé tout entier. Cazeneuve blêmit. Juste derrière lui, les deux gracieux petits vieux se tournent l'un vers l'autre en souriant. Et voilà qu'ils se roulent la galoche de leur centenaire ! Un baiser d'une sensualité incroyablement contagieuse. Entre leurs deux ventres soudés, je distingue le coin du cabas vert. Vert pomme.

Et Cazeneuve reçoit la baffe promise. Seulement, ce n'est pas moi qui la lui donne. C'est le bras arraché de la vieille dame. Je suis des yeux la courbe parfaitement dessinée par le geyser de sang qui s'en échappe. Je vois le visage de l'homme, très nettement, un regard d'incrédulité sous une frange de cheveux blancs, fins comme des cheveux de bébé, et taillés à la romaine. Je vois la tête de Cazeneuve. Sa joue, soudain flasque, répercute l'onde de choc à tout le reste du visage.

Et c'est alors seulement que j'entends l'explosion. Un mur de brique volatilisé dans ma tête. Projeté en avant, Cazeneuve nous envoie au tapis, tante Julia et moi.

9

L'intérêt de se trouver sur le lieu même d'une explosion, c'est que personne ne vous y piétine. Tout le monde fuit l'épicentre.

Le poids de la fille couchée sur moi me colle au sol. On dirait qu'elle me protège de mitrailleuses ennemies. Mais à y regarder de plus près, elle est évanouie, tout simplement. Je la dépose doucement sur le côté en maintenant sa tête dans le creux de ma main, et je rabats sa robe sur ses jambes découvertes. Cazeneuve me fait face, assis, extatique, comme un bambin devant son premier pâté de sable. Il est couvert de sang et quelque chose en lui se demande sans bouger si c'est le sien ou celui de quelqu'un d'autre. (C'est la première fois que je le vois penser.) Quelques mètres derrière Cazeneuve, deux corps, à la fois enchevêtrés et dispersés, gisent dans une épouvantable bouillasse sanglante. Je me lève péniblement. Autour de moi, c'est une panique de vivier au moment de la pêche. Tous les poissons veulent sauter hors de l'eau. Ils bondissent, retombent, se heurtent, changent soudain de direction, comme s'ils voulaient échapper à une invisible épuisette. Le plus hallucinant est que tout cela se déroule dans un silence de fond des mers. Des étalages entiers s'effondrent, des mannequins de présentation explosent sous les pieds des fuyards. *Et cela sans un bruit*. Je suis tout au fond d'un gigantesque aquarium en folie. Tante Julia se réveille à son tour. Je vois ses lèvres remuer mais je n'entends rien. *Sourd*. L'explosion m'a rendu *sourd*. Instinctivement, je porte mes doigts à mes oreilles. Pas de sang. Ça me rassure un peu. Je m'accroupis devant tante Julia et prends son visage dans mes mains :

— Rien de cassé ?

J'entends ma voix comme si je me téléphonais à moi-même. La fille répond quelque chose, puis fait mine de se retourner, mais je l'en empêche. Pourtant, cet entrelacs sanglant ne me soulève pas le cœur, pas cette fois-ci. Il faut croire qu'on s'habitue à tout. Les deux corps donnent l'impression d'avoir échangé leurs viscères, dans une sorte de communion ultime. Ils ont fusionné. Plus aucune trace du petit cabas vert pomme. Leurs deux ventres le couvaient, et l'éclosion a eu lieu. Deux types en blanc emmènent Cazeneuve complètement sonné. On me tape sur l'épaule. Je me retourne. Preuve que l'Histoire se répète toujours dans le pire, le petit pompier de la dernière fois commence à m'expliquer le coup. Ses deux limaces roses gigotent sous sa fine moustache. Mais — joie ! — je ne l'entends pas.

Je suis resté quatre longues heures à l'hôpital. Ils m'ont inspecté sous toutes les coutures. Pas de casse.

J'ai éprouvé un plaisir tout enfantin à me laisser manipuler. Comme lorsque j'étais môme et que ma mère ou Yasmina, la femme du vieil Amar me donnait mon bain. Ma surdité ajoute à l'agrément de la chose. J'ai toujours pensé que je ferais un bon sourd et un mauvais aveugle. Retirez-moi le monde des oreilles, je l'aime. Bouchez-moi les yeux, je meurs. Les meilleures choses ayant une fin, le monde finit par se frayer à nouveau un chemin jusqu'à mes tympans. J'entends les conversations des infirmières et des toubibs autour de moi. D'abord, je n'y comprends rien. Comme s'ils parlaient dans un compartiment voisin du mien. Puis, ça se précise. Il s'agit tout simplement de me garder en observation une petite semaine. Il se pourrait qu'il y ait des complications côté cervelle. Une semaine d'hosto ! Je vois d'ici la tête des mômes et de Julius.

— Pas question !

Une longue blouse blanche au visage chevalin se penche sur moi.

— Vous avez dit quelque chose ?

— Oui, j'ai dit non. Je ne veux pas rester ici, je me sens très bien, pas de problème, je vais rentrer chez moi.

La blouse blanche en réfère à une blouse encore plus blanche, tendue par un ventre rond.

— Nous ne pouvons pas vous laisser partir, mon vieux. Pas avant d'avoir pris toutes les radios nécessaires.

Je suis encore allongé sur la table d'auscultation. L'énorme ventre parle juste devant mon nez. Tous ces bides piégés... Et s'il allait me sauter à la figure, lui aussi ?

Je dis :

— Vous ne pouvez pas non plus me retenir malgré moi.

Dehors, il fait nuit depuis longtemps. Tandis que je marche vers le métro, une bagnole se coule le long du trottoir, jusqu'à mon niveau, et me klaxonne. Un klaxon des années cinquante. De ceux qui font : « Tutt. » Je me retourne. Tante Julia, à l'intérieur d'une quatre chevaux jaune citron, me fait de grands gestes d'invite.

— Vous êtes à pied ? Montez, je vous embarque.

Je monte dans la relique de tante Julia.

— Ils vous ont fait signer une décharge ? A moi aussi. Ils se mettent à l'abri, c'est normal.

Elle conduit sa quatre chevaux comme un paquebot, sans à-coups. Une sorte de prouesse, quand on connaît l'engin. Nous voguons vers le Père-Lachaise. Tante Julia parle. Elle parle, et moi je revois le cabas vert pomme et les ventres qui se referment. Puis le regard terrorisé de Cazeneuve. Cazeneuve n'a rien, j'en mettrais mon propre bras à couper. Il est commotionné, c'est tout. La charge a explosé dans le nid hermétique formé par les deux ventres. Comme à l'intérieur d'un œuf mou.

— Ils bandaient comme des anges !

Des anges qui bandent ? Quels anges ? Qui, bande ? Tante Julia me regarde avec des yeux voilés d'une indicible nostalgie. Elle dit :

— Les Sandinistes. Ils bandaient comme des anges. Indéfiniment. Ils baisaient en riant. Et quand ils jouissaient, c'était à longs traits brûlants, jusqu'à extinction totale de mon incendie. J'ai éprouvé ça une seule fois, à Cuba, juste au lendemain de la Révolution. J'avais quatorze ans. C'était deux jours avant que mon consul de père se fasse virer. J'y suis retournée depuis, mais c'était fini : déjà l'érection réaliste socialiste, le coït stakhanoviste...

Elle se tait un moment. Le temps que je reprenne mon souffle. (C'est la bombe qui l'a mise dans un état pareil ?) Un feu rouge passe au vert. Tante Julia repart en même temps que sa bagnole.

— Maintenant, le Nicaragua aussi est foutu... le plaisir constructif.

Son visage, tordu par une expression de dégoût, se détend brusquement et sa belle voix rauque replonge dans d'heureuses certitudes :

— Heureusement, il restera toujours les Moïs, les Maoris, les Satarés...

Je dis :

— Les Satarés ?

— Les Satarés de l'Amazonie brésilienne !

Elle développe :

— Ils ont des muscles longs, nets, bien dessinés. Leurs épaules et leurs hanches ne fondent pas dans tes doigts. Leur queue a une douceur satinée que je n'ai trouvé nulle part ailleurs. Et quand ils t'enfourchent, ils s'éclairent de l'intérieur, comme des Gallé 1900, superbement cuivrés.

Et ainsi, tandis que le Paris hivernal et nocturne défile aux flancs de notre pirogue, tante Julia développe le corps somptueux de sa théorie. Selon elle, il n'y a que les révolutionnaires au lendemain de la victoire et les grands primitifs pour baiser correctement. Les uns et les autres ont l'éternité dans la tête, ils baisent au présent de l'indicatif, comme si ça devait durer toujours. Partout ailleurs dans le monde, on se trombine au passé ou au futur, on commémore ou on érige, on se perpétue ou on se multiplie, mais personne ne s'occupe de soi...

Sa voix est devenue extraordinairement convaincante :

— Je veux dire s'occuper de soi, là, de l'un et de l'autre, dans l'instant, de toi et de moi...

Pleins phares sur tante Julia. Je ne la lâche plus des yeux une seconde. Ses contours sont irisés par les lumières de la ville. Et puis soudain, elle m'apparaît tout entière, dans l'éclaboussement d'une vitrine de luminaires. (Mamma mia !...)

10

Nous avons laissé la bagnole en double file, nous avons grimpé mes deux étages comme si nous étions poursuivis, nous nous sommes jetés sur mon plumard comme dans un oued, nous nous sommes arraché nos vêtements comme s'ils étaient en flammes, ses deux seins m'ont explosé au visage, sa bouche s'est refermée sur moi, la mienne a trouvé le baiser palpitant de son désir Maori, nos mains ont galopé dans tous les sens, elles ont caressé, pétri, étreint, pénétré, nos jambes se sont enroulées, nos cuisses ont emprisonné nos joues, nos ventres et nos biceps se sont durcis, les ressorts du plumard ont répondu, les échos de ma chambre aussi, et puis, tout à coup, la superbe tête léonine de tante Julia a surgi au-dessus de la mêlée, auréolée de son incroyable crinière, et sa voix, maintenant rocailleuse, a demandé :

— Qu'est-ce que tu as ?

J'ai répondu :

— Rien.

Je n'ai rien. Absolument rien. Rien qu'un misérable mollusque lové entre ses deux coquilles. Qui ne veut pas sortir la tête. Par peur des bombes, j'imagine. Mais je sais que je me mens à moi-même. En fait, ma chambre est pleine de monde. Bourrée à craquer. Tout autour de mon plumard se dressent des spectateurs au garde-à-vous. Et pas n'importe quels spectateurs ! Toute une couronne de Sandinistes, de Cubains, de Moïs, de Satarés, à poil ou en uniforme, ceints d'arbalètes ou de Kalachnikov, cuivrés comme des statues, auréolés de poussière glorieuse. Ils bandent, eux ! Et les mains sur les hanches, ils nous font une haie d'honneur dense, tendue, arquée, qui me la coupe.

— Rien, je répète. Je n'ai rien. Excuse-moi.

Et, comme il n'y a rien d'autre à faire, je me marre.

— Parce qu'en plus, tu trouves ça drôle ?

On peut rigoler justement parce qu'on ne trouve pas ça drôle. Je le lui explique. Je m'excuse encore. Je lui dis que nous sommes entourés d'un jury olympique et que je n'ai jamais été doué pour les concours. Elle dit :

— Je comprends.

Et elle m'explique à son tour. Notre mésaventure sera d'ailleurs la conclusion de cette enquête sur les amours primitives et révolutionnaires qu'elle doit boucler pour le prochain numéro d'*Actuel*.

— Ah ! je dis, parce que tu bosses à *Actuel*.

Oui, c'est là qu'elle travaille.

— Ce qui tue l'amour, vois-tu, c'est la culture amoureuse : tout homme banderait, s'il ne savait pas que les autres hommes bandent !

J'essaye de la caresser pendant qu'elle développe, mais elle écarte ma main. Pas de succédané.

— Oui, ce qui bousille la création, c'est la référence...

Où est Julius ? Je me demande où est Julius. Sans doute derrière les fourneaux de Hadouch. Putain de vie. Des bombes vous explosent sous les fesses, une coalition d'Indiens et de héros vous coupent la queue au ras du désir, et votre chien favori s'empiffre tranquillement dans votre restaurant habituel. Salaud de Julius, je ne te connais plus. Par trois fois. Le reniement de saint Pierre.

C'est évidemment le moment que choisit la porte de ma chambre pour s'ouvrir. Julius. Eh ! oui, c'est Julius.

11

Mais c'est aussi Thérèse. Thérèse reste debout sur le seuil. Julius reste assis à côté de Thérèse. Puis une autre tête émerge : Louna. Une autre encore : Jérémy, hissé sur ses pointes. Et maintenant, Clara. Ça se bouscule sans franchir le seuil. Thérèse dit :

— Ah ! tu es vivant...

Mi-figue mi-raisin.

Je désigne le mollusque d'un hochement de tête et je dis :

— Si peu...

Thérèse envoie son plus chaste rictus à ma camarade de chambre qui, toujours aussi nue, est restée bouche ouverte au milieu de son explication.

— Tante Julia, je suppose ?

Charmante petite sœur. Maintenant, le peu de prestige qui me reste boit la tasse fatale. Tante Julia sait qu'elle n'est pas la première tante Julia de ma vie. Si Thérèse continue sur sa lancée, Julia saura bientôt tout de mon mode de recrutement. Eh ! oui, j'ai honte. Je drague les belles voleuses du Magasin. C'est la triste vérité. L'homme est ignoble. Toutefois, il y a plus ignoble. Un autre homme. Cazeneuve, par exemple, ou tous les flics maison de son espèce, qui pourchassent les voleuses uniquement pour leur donner le choix entre un tour à la Direction ou une passe dans une cabine d'essayage. Moi, au moins, je ne viole pas. Je dirais même qu'à chaque fois que je séduis tante Julia, je la sauve d'un outrage. Ensuite, je fais ce que je peux.

Difficile de dire si Thérèse est heureuse de me voir vivant. Son royaume n'est pas de ce monde. C'est d'une voix parfaitement clinique qu'elle demande à Julia :

— Comment faites-vous pour dormir sur le ventre, avec de si gros seins ?

Julia écarquille les yeux. C'est cette expression de stupeur furieuse que saisit l'explosion du flash de Clara au-dessus de toutes les têtes.

Sur quoi, frères, sœurs et chien sont précipités à l'intérieur de la chambre sous la poussée hurlante d'une foule d'inconnus. Une bande rigolarde. Des corps à moitié nus, d'une beauté au moins égale à celle des Satarés de tante Julia. Tout ce beau monde plonge sur notre plumard et se met à nous caresser sous tous les angles. Exclamations diverses dans un idiome inconnu :

— Vixi Maria. que moça linda !

— E o rapaz também ! Olha ! O pelo tão branco !

Julia fait une tête étrange, entre ravissement et incrédulité, comme si ses rêves venaient de prendre corps sous l'effet de sa frustration.

— Parece o menino Jesus mesmo !

Cette dernière réplique sur un ton si drôle que

tout le monde se marre, même ceux qui ne comprennent pas. Les caresses redoublent, le flash de Clara crépite, Julius essaye de se frayer un chemin jusqu'à son maître, Jérémy ouvre des yeux comme des soucoupes, Louna sourit comme une femme enceinte, le Petit bat des mains en sautant à pieds joints, Thérèse attend que ça passe, Julia commence à rendre caresse pour caresse, et moi, j'ai une peur terrible de voir débarquer l'Assistante Fée Sociale, escortée de l'Ange des Mœurs, le bleu, avec le képi. Mais non, c'est l'ordonnateur de cette jolie fête qui fait son entrée à son tour.

— Théo !

Il porte un costume vert prairie dont la poche pectorale est ornée d'un cœur de laitue au plus blanc duquel il a épinglé une feuille de rose. Il y a, dans l'album du Petit, une photo de Théo avec ce costard sur le dos, et la légende dit : « *Ça, c'est Théo quand il donne à manger au Bois.* »

Et il me regarde en se poilant.

— Eh ! oui, c'est moi ! Vers qui se retourne ta petite famille quand elle apprend que le grand frère a sauté en l'air ? vers mézigue ! Manque de pot, ce soir je n'étais pas chez moi, ils sont venus me chercher au Bois.

— Au Bois ?

— De Boulogne. C'est le soir où je porte à bouffer à mes copines brésiliennes pour les consoler de geler sur pied en tenue de combat. Quand l'hosto m'a appris que tu étais entier, j'ai décidé de te les amener pour fêter ça. Elles sont affectueuses, non ?

(Au Bois de Boulogne... mes tout-petits... un jour, je serai déchu de mes droits de fraternité.)

La suite se déroule en bas, chez les enfants, où nous improvisons un festin brésilien. Jérémy a dégoté chez un copain de l'immeuble un disque de Ney Matogrosso, le plus fondu des chanteurs plurisexués du continent sud-américain. La musique gueule, Tante Julia danse avec ses rêves incarnés. Je bois café brasileiro sur café brasileiro, couvé par les tendres regards de Théo et de Clara. Jérémy suit le rythme de la musique en cognant sur tout ce qui peut résonner dans un appartement. Le Petit dort comme tous les enfants de son âge au milieu de tous les bombardements, Louna, bien entendu, sourit, et Thérèse, assise sur l'arête de son lit, tient dans sa main la longue main brune et forte d'un gigantesque travesti bahianais, sombre et lumineux comme le café qui tapisse mes intérieurs. Seules, leurs paumes sont éclairées par une toute petite lampe de chevet. Je ne sais pas ce que l'autre comprend des prédictions de ma sœur, mais ses yeux extatiques lancent les mêmes reflets que le lamé de sa mini-jupe. Puis, tout à coup, il bondit en arrière. Il pointe sur Thérèse un doigt tremblant et se met à hurler :

— Essa moça chorava na barriga da mãe.

Du coup, tout s'arrête, musique, danse et café sur ma falaise.

— Qu'est-ce qu'il dit ?

Théo traduit :

— Il dit que Thérèse pleurait déjà dans le ventre de sa mère.

Retour seize ans en arrière et froid glacial dans mon âme. (J'entends, très nette, la voix de maman qui me dit : « L'enfant pleure. » « L'enfant pleure ? » « Dans mon ventre, Benjamin, je l'entends pleurer dans mon ventre ! »)

Le plus calmement possible, je demande :

— Et alors ?

Le travesti qui dansait avec tante Julia, celui-là même qui me comparait tout à l'heure en rigolant à l'enfant Jésus, explique, d'une voix très calme, et dépourvue de la plus petite pointe d'accent :

— Chez nous, monsieur, cela veut dire qu'elle a le don de seconde vue.

Puis, farfouillant dans son réticule de strass, il en sort une petite statuette de verre bleuté, remplie d'eau. Il s'agenouille devant Thérèse et la lui tend en murmurant :

— Para você, mãe ; um presente sagrado.

— C'est une statuette de Yemanja, explique Théo, leur divinité de la mer. Il paraît qu'elle les sort sans problème de tous les pétrins.

Le diablotin positiviste se réveille en moi et me murmure à l'oreille :

— C'est pour ça qu'ils finissent au Bois.

Thérèse prend la statuette sans un mot de remerciement et va la déposer sur la petite étagère où elle remise toutes les divinités de sa collection.

12

— Combien de temps êtes-vous resté au niveau du rayon pull-over ?
— Dix minutes environ.
— Qu'y faisiez-vous ?
— J'aidais une amie à choisir un shetland.
— Une amie de longue date ?
(Sacré Cazeneuve, je savais bien qu'il n'avait rien !)
— Son identité et son adresse, je vous prie.
Ce n'est pas l'inspecteur Caregga, c'est le commissaire divisionnaire Coudrier. Dans les locaux de la P.J.
Le commissaire Coudrier ressemble à son nom. C'est un chercheur né, sans passion. Il cherche des truands, des assassins, aujourd'hui un poseur de bombes, mais il aurait aussi bien pu partir en quête de la scission de l'atome ou de la potion anti-cancer. Ce sont les hasards de ses études supérieures qui l'ont placé devant moi plutôt que derrière un microscope. Il est décoré de la Légion d'Honneur, vêtu d'un costume vert bouteille sous lequel il ne porte pas de holster, et, devant mes hésitations, il m'expli-

que posément que, en tant que témoin oculaire principal, mon témoignage est absolument essentiel.

— Alors, cette amie au shetland ?

Je lui réponds que c'est plutôt une connaissance qu'une amie, que je l'appelle « Tante Julia » et qu'elle travaille au journal *Actuel.*

Au même instant une porte claque et je fais un bond de deux mètres. Putain de café brésilien ! Il m'a retourné la peau.

— Ne soyez pas si émotif, monsieur Malaussène, ce ne sont vraiment que des questions de routine.

Je ne suis pas émotif, je suis un oiseau tout nu, posé sur une ligne à haute tension, et qui rentre sa queue entre ses pattes pour ne pas toucher le fil d'en face.

C'est toute la surface de mon pauvre corps qui enregistre la question suivante.

— Vous n'avez rien remarqué de particulier pendant ces dix minutes ?

Je n'ai rien remarqué. Je n'ai vraiment vu ce qui se passait qu'à la seconde même où cela s'est passé. Mais alors avec une précision hyperréaliste. Le coin du cabas vert pomme en particulier, les ventres qui se referment. Je le lui dis. Une machine à écrire blindée enregistre mes phrases. Chaque rafale m'électrocute. Coudrier fronce les sourcils et demande :

— Pourriez-vous me faire une description précise des victimes ?

— De l'homme surtout. Pour ce qui est de la femme, je n'ai vu que son bras...

Je dépeins le type comme une sorte d'empereur romain sur le retour. Claude en fin de parcours.

— Et sous la frange de ses cheveux blancs, des yeux très bleus, genre Pétain.

— C'est tout à fait ça.

Tout à coup je me rappelle le baiser du couple, cette étreinte d'une incroyable jeunesse.

— Vous êtes sûr ?

— Absolument certain. Pourquoi ?

— Vous le lirez dans les journaux : ils étaient frère et sœur.

Et il ajoute, comme si cette précision devait exclure les amours incestueuses :

— Lui était ingénieur, retraité des Ponts et Chaussées.

Puis, comme pour lui-même :

— De toute façon, aucune importance, ça aurait aussi bien pu être vous.

Et, avec un regard malin :

— Vous et madame votre tante.

Silence. La porte s'ouvre. Une secrétaire muette pose un petit plateau, sur le bureau, à côté du maroquin vert. Le commissaire divisionnaire dit : « merci Elisabeth » et demande :

— Café ?

Je bondis.

— Jamais !

Il sourit en se servant.

— Vous mentez au moins sur ce point, monsieur Malaussène.

Petite finesse. Après quoi il boit lentement son café dont l'odeur me chavire. Puis il repose sa tasse sur le plateau, dit : « Je vous remercie Elisabeth », croise ses mains devant lui, clape une dernière fois des lèvres pour ne rien perdre de l'arôme et me dévisage.

Elisabeth s'esbigne avec son petit plateau.

— Une dernière question, monsieur Malaussène. En quoi consiste exactement votre fonction au Magasin ? Cela ne ressort pas clairement de votre déposition.

Et pour cause...

Bizarrement, c'est à cet instant que je prends conscience du décor. Il est de style empire, le bureau du commissaire divisionnaire Coudrier. Des tape-culs d'allure pseudo-romaine sur lesquels nous sommes assis, jusqu'au service à café frappé de l'impériale majuscule N, en glissant sur le divan Récamier qui scintille doucement près de la bibliothèque d'acajou, tout baigne dans la végétale lumière d'un tissu mural épinard constellé de petites abeilles d'or. En cherchant mieux, je dégoterais certainement le mini-buste du mini-Corse, une réplique de son mini-galure, et le Mémorial de Las Cases dans la bibliothèque. Bien que cela n'ait aucun rapport avec la question qu'il vient de me poser, je me demande s'il a payé cette décoration de sa poche, le commissaire divisionnaire, ou s'il a obtenu de l'administration un crédit spécial pour habiller son local aux couleurs de sa passion. Dans les deux cas, une seule conclusion s'impose : ce type ne rentre pas chez lui tous les soirs. Il se sent bien, ici. Or, qui aime le cadre aime le turf. Il bosse vingt-cinq heures sur vingt-quatre, ce flic-là. On ne peut pas finasser longtemps avec la réincarnation de Fouché. D'où ma décision de ne pas lui mentir.

— Je suis Bouc Emissaire, monsieur le commissaire.

Le commissaire divisionnaire Coudrier me renvoie un regard absolument vide.

Je lui explique alors que la fonction dite de Contrôle technique est absolument fictive. Je ne contrôle rien du tout, car rien n'est contrôlable dans la profusion des marchands du temple. A moins de multiplier par dix les effectifs des contrôleurs. Or donc, lorsqu'un client se pointe avec une plainte, je suis appelé au bureau des Réclamations où je reçois une engueulade absolument terrifiante. Mon boulot consiste à subir cette tornade d'humiliations, avec un air si contrit, si paumé, si profondément désespéré, qu'en règle générale le client retire sa plainte pour ne pas avoir mon suicide sur la conscience, et que tout se termine à l'amiable, avec le minimum de casse pour le Magasin. Voilà. Je suis payé pour ça. Assez bien, d'ailleurs.

— Bouc Emissaire...

Le commissaire divisionnaire Coudrier me regarde, l'air toujours aussi absent.

Alors, je demande :

— Vous n'avez pas ça, dans la police ?

Il m'examine encore un moment, et finit par dire :

— Je vous remercie, monsieur Malaussène. Ce sera tout pour cette fois.

13

Lorsque je me retrouve dehors, j'ai l'impression de marcher pieds nus sur un tapis d'aiguilles. Mes paupières sautent, mes mains tremblent, je claque des dents. Mais qu'est-ce qu'elle peut bien foutre dans son café, Yemanja ? J'ai juste le temps de passer chez moi et de m'envoyer trois valium (trois valia ?) avant d'aller à l'assemblée de l'intersyndicale, prévue pour dix-huit heures trente dans la salle de la cantine. Le valium enrobe mon corps de nuages sans rien changer à l'état de mes nerfs. Vu de l'extérieur je plane, dedans je grille, comme un bobinage électrique qui n'en finit pas de cramer.

Théo me regarde, incrédule :

— T'es en manque ?

— Plutôt une overdose.

L'assemblée bat son plein. Pour une fois, tous les employés sont là. Syndiqués ou non, C.G.T. ou « Maison », ils ont tous rappliqué, les chers « collaborateurs »(« trices ») de Sainclair. Lecyfre, le distributeur automatique de la parole C.G.T., est complètement dépassé. Lehmann, l'élu programmé « Maison » ne peut guère mieux. On tire sur tous leurs petits tiroirs à la fois. Ils ont beau gueuler des « je vous en prie, camarades ! », « un peu d'ordre, mes amis ! », en levant les bras pour apaiser la tempête, rien à faire. La panique est la plus forte. Chacun hurle sa trouille, sa rage, ou tout simplement son opinion. L'acoustique couteau-timbale-pyrex-béton de l'immense cantine n'arrange pas les choses. Un bordel tel qu'on ne peut même pas entendre son voisin le plus proche. « Et si elle le faisait vraiment sauter ? » Va savoir pourquoi, cette pensée me saisit de façon totalement inattendue. Et si Louna se faisait avorter ? L'espace d'un éclair, je vois un amour foutu, qui est toute une vie, puis, dans le cas contraire, le même amour fichu, dévoré au sein de Louna par le petit concurrent mamellophage.

— Tu as peut-être une opinion là-dessus, Malaussène ?

La question de Lecyfre, lancée sans sommation, me cueille en plein vol.

— Le mécontentement de la clientèle, ça te connaît, non ?

Il n'a gueulé cette question que pour obtenir le silence en concentrant sur moi l'attention générale. Réussi. Quantité de têtes se sont déjà retournées. Suffisamment nombreuses pour que je me sente vraiment seul. Si je pense qu'un client mécontent de mes services peut nous coller des bombes sous les fesses ? C'est bien ça, la question ?

— Un Contrôle Technique, ça doit avoir une opinion là-dessus, surtout quand il fait si bien son boulot !

Rien à répondre, bien sûr. Donc, je ne réponds

rien. Je lève juste un poing fatigué à l'adresse de Lecyfre, d'où je laisse jaillir un médius, préalablement humecté. Lehmann se marre grassement, suivi par quelques autres. Le sourire de Lecyfre dit clairement qu'il me revaudra ça. En attendant, il a obtenu le calme souhaité. Les regards me lâchent, certains plus lentement que d'autres. Quelqu'un déclare que non, des bombes, ça ne peut pas venir de la petite clientèle. Le débat s'organise sur d'autres bases. C'est le Magasin qui est visé, il n'y a pas de doute. Lecyfre et les siens estiment que le problème ne peut venir que de la Direction. Lehmann a beau faire non non de la tête, la thèse fait des petits. Plusieurs vendeuses réclament une enquête économique. Il doit y avoir là-haut une magouille trop juteuse qui entraîne la répression. Ces bombes sont les œufs piégés d'un pigeon qui se venge. A moins — position Lehmann — qu'il ne s'agisse de l'amorce d'un racket. Racket ? Qué, racket ? L'attentat (les attentats !) ont-ils été revendiqués par une organisation quelconque ? Non, pas que l'on sache. La Direction a-t-elle reçu des propositions de protection ? Non ? Alors ? Connerie, la thèse du racket. Un solitaire. Qui cherche à obtenir la fermeture du Magasin. Voilà ce que c'est !

Oui, nous y voilà. C'est le véritable ordre du jour de cette réunion. Quelle attitude doit adopter le personnel du Magasin si la Direction décide de fermer boutique ? Protestations de toutes parts, hurlements, unanimité. Pas question de fermer. Si le Magasin ferme, on l'occupe. Les employés n'ont pas à payer les conneries de la Direction. Oui, mais la sécurité ? Silence. Toutes les mains retombent d'un coup.

— Tu vas voir qu'ils vont demander une prime de risque.

C'est Théo qui s'amuse.

— On vendra les petites culottes en se planquant derrière des sacs de sable. La guerre chou. Lehmann pourra enfin remettre sa tenue camouflée et on distribuera des gilets pare-balles à la clientèle.

Théo continue de broder sur ce thème, mais je ne l'écoute plus. J'écoute autre chose : là, au centre géométrique de mon cerveau, un petit sifflet à ultrasons. Ça stridule. C'est un son qui tourne sur lui-même comme un feu de bengale mexicain. Puis cela diffuse une sorte de douleur en direction de mes deux oreilles. Et cela se tend, et cela devient brûlant, et je me retrouve bientôt suspendu dans l'espace par un fil d'acier chauffé à blanc qui me traverse le crâne. La douleur me fait ouvrir une bouche immense d'où il ne sort aucun son. Puis s'atténue. Et disparaît. Théo qui me regardait comme si j'étais en train de mourir se rassure. Il dit quelque chose que je n'entends pas. *Je suis sourd.* Je réponds tout de même :

— Ça va, Théo, ça va, c'est passé, merci.

Ma voix sort d'un scaphandre microscopique qui gueule du plus profond de mon talon. Je fais signe à Théo de s'intéresser de nouveau à la tribune où les débats continuent. Les bouches s'ouvrent, les doigts se tendent. Lecyfre et Lehmann distribuent les autorisations. Je n'entends absolument plus rien, mais *je vois.* Je vois des dos attentifs et des nuques angoissées. Et pour la première fois, je réalise que je les connais tous, ces dos et ces nuques d'hommes et de femmes. J'ai même la sensation étrange de les connaître intimement. Je peux mettre un nom sur la plupart des doigts qui se lèvent. Depuis cinq mois que je godille dans les allées du Magasin, ils me sont rentrés par les yeux. Ils se sont installés en moi. Je les connais comme je connais les quelque vingt-quatre mille vignettes des albums de Tintin, et leurs vingt-quatre mille bulles, mémoire homéopathique qui fait l'admiration exclamative de Jérémy et du Petit.

Du coup, les quatre flics dispersés dans l'assistance me sautent aux yeux comme des morpions sur une feuille blanche. Rien ne les distingue pourtant des autres mâles de l'assemblée. Flics, vendeurs et cols blancs, même combat pour la gourmette et le pli du futal. C'est le regard qui change. Ces quatre-là regardent les autres et les autres regardent devant eux, pathétiquement, comme si la promesse d'une aube sans explosif pouvait sortir de la tribune syndicale. Les flics, eux, cherchent un tueur. Ils ont le regard psy. Leurs oreilles grandissent à vue d'œil. Ils sont les spéléologues de l'âme ambiante. Qui, dans l'assistance, en a chié au point de vouloir faire sauter la baraque? Ils ne se posent pas d'autre question.

Ils peuvent se la poser longtemps...

Le tueur n'est pas dans la salle! C'est une certitude qui s'inscrit en lettres de feu dans mon silence intersidéral.

Du coup, je me glisse doucement vers une porte latérale, sans même attirer l'attention de Théo. Je longe un couloir bardé d'extincteurs et hérissé de flèches indicatrices. Au lieu de suivre la direction « sortie », j'oblique sur la gauche et pousse la barre d'appui d'une porte qui cède sous la pression.

Toutes lumières allumées, le Magasin repose dans sa poudre d'or. Bien que le silence soit absolu dans ma tête, il me semble entendre en prime son grand silence à lui. Des escaliers roulants qui ne roulent pas, c'est plus que de l'immobilité. Des rayons regorgeant de marchandises sans aucun vendeur derrière, c'est plus que de l'abandon. Des caisses enregistreuses qui ne font pas entendre le tintement de leurs clochettes, c'est plus que du silence. Tout cela vu par un sourd, c'est un autre monde. Un monde où les bombes explosent sans laisser de traces.

— Tu cherches où poser la prochaine ?

Cette voix si profonde, qui m'indique que j'ai recouvré l'ouïe, je la connais bien. Il s'est accoudé près de moi. Nos deux regards se portent instinctivement sur le rayon des shetlands, tout en bas. Je finis par répondre :

— Il y a tant de façons de tuer, Stojil, ça me décourage…

Stojilkovitch, Serbe pour les gènes, veilleur de nuit de son état, et d'un âge que son sourire ne cherche pas à rendre respectable. La voix la plus grave du monde : Big Ben dans la nuit londonienne. Et qui me raconte une charmante histoire :

— J'ai connu un tueur d'Allemands, pendant la guerre, à Zagreb, quinze ou seize ans, figure d'ange, on l'appelait Kolia, il avait trouvé une dizaine de trucs infaillibles. Par exemple, il se baladait au bras d'une camarade enceinte qui poussait un landau, il abattait un officier à la sortie de la messe, d'une balle dans la nuque, et planquait le revolver tout fumant à côté du bébé endormi. Des choses de ce genre. Il en a descendu quatre-vingt-trois. Il n'a jamais couru. Il ne s'est jamais fait prendre.

— Qu'est-ce qu'il est devenu ?

— Fou. Au départ, il n'était pas fait pour tuer. A l'arrivée, il ne pouvait plus s'en passer. Une forme d'hystérie meurtrière très fréquente chez les partisans, et qui a passionné l'internationale psychiatrique d'après-guerre.

Silence. Mon regard erre un instant sur la balustrade de ferraille dorée qui clôture le rayon des nouveau-nés, là-bas, en face de moi, de l'autre côté du vide. Poussettes et landaus perdent de leur innocence.

— On pousse le bois, ce soir ?

« Pousser le bois », dans le langage de Stojil, est une invitation à jouer aux échecs. Jusqu'à minuit tous les mardis, c'est la seule infidélité que je fasse aux enfants. Pousser le bois, ce soir, dans le lumineux sommeil du Magasin, oui, c'est tout à fait le genre de calme dont j'ai besoin.

14

Je reçois le coup de plein flanc. Pas le temps de reprendre mon souffle qu'une autre attaque, frontale, cette fois, m'envoie au tapis. Je n'ai plus qu'à me mettre en boule, me rassembler au maximum, laisser pleuvoir, attendre que ça passe tout en sachant que ça ne passera pas. Et ça ne passe pas. Ça me tombe dessus de tous les côtés à la fois. L'image qui me vient alors est celle de ces marins américains dont le bateau s'est fait couler quelque part dans le Pacifique, vers la fin de la guerre. Les hommes à la mer s'étaient agglutinés, pour faire bloc, et flottaient en se tenant les coudes, comme une immense flaque humaine. Les requins avaient attaqué cette galette en commençant par les bords, grignotant, grignotant, jusqu'au cœur.

C'est exactement ce que Stojil est en train de me faire. Il a repoussé mes forces autour de mon roi et attaque de tous les côtés à la fois. Cette capacité qu'il a de jouer simultanément des diagonales et des perpendiculaires indique le Stojil des grands soirs. Tant mieux, d'ailleurs, car quand il ne *voit* pas, Stojil, il triche ! Le seul type au monde capable de tricher aux échecs. Toutes ses pièces chevauchent deux ou quatre cases, la vue de l'adversaire se brouille, le monde chavire, le moral tombe à zéro, car la vraie mort des valeurs, c'est un échiquier flou. Ce soir, pas besoin de ça. Il *voit* ! Il voit et j'admire. Toutes ses attaques se font à la découverte. Un cheval fait son bond de crabe et le fou jaillit par en dessous, aussi net et inattendu qu'une lame. Le cheval, en retombant, plante lui aussi sa fourchette dans sa part du gâteau. Si je gare ma jambe, on me bouffe le bras, si je rentre la tête, je meurs étouffé. Pas à dire, c'est le Stojil des grandes nuits. Et moi la taupe clignotante sous les projos du Hibou. Dans ma tête, la petite bille qui cherchait follement la sortie s'abandonne enfin à la fascination de la défaite.

— Ils sont sept.

Il n'a pas quitté l'échiquier des yeux. Rien que ce murmure de basse lointaine qui lui tient lieu de voix.

Ils sont sept ? Sept quoi ? Qui, sont sept ?

— Il y a six flics dans le Magasin, plus le nôtre, ça fait sept.

Le nôtre, un grand boutonneux à la bouche humide, dont les hochements de tête admiratifs ponctuent chaque coup de mon adversaire, se raidit imperceptiblement.

— Un chez Sainclair qui épluche les comptes, un par étage qui joue les ombres, et le nôtre, qui fait semblant de savoir jouer aux échecs.

Bouche Humide est trop scié pour se vexer.

— Comment le savez-vous ? Vous ne les avez pas vus entrer !

Sans lui répondre, Stojil enclenche le micro de miss Hamilton qui m'appelle dix fois par jour à la salle de torture, s'approche, et laisse gronder le fond de ses tripes.

— Deuxième étage, rayon disques, éteignez votre cigarette, s'il vous plaît.

M'est avis qu'au son de cette contrebasse céleste, le patrouilleur du deuxième étage doit se croire en communication avec Dieu le Père Lui-même.

Je le connais, mon Stojil : le fait qu'on l'ait flanqué de sept condés le blesse profondément. Et puis une société qui se met à veiller les veilleurs, ça ne lui dit rien de bon, il a déjà connu ça...

Il revient tout de même à la partie, fait passer la ligne médiane au pion de son fou et annonce :

— Mat en trois coups.

Pas de doute. A l'étouffée. Décès par asphyxie. Bravo, Stojil. Le vainqueur se lève, traîne sa vieille carcasse jusqu'à cette lucarne d'opérateur d'où Miss Hamilton peut s'offrir un panoramique sur tout le Magasin. Timidement, Bouche Humide revient à la charge.

— Hein ? Comment saviez-vous que nous sommes sept ?

Le regard de Stojil plane seul, un long moment, dans le grande vide iridescent.

— Quel âge as-tu, petit ?

— Vingt-huit ans, monsieur.

A sa voix incertaine, Bouche Humide pourrait en avoir dix-huit. Mais quatre-vingt-huit à son crâne de piaf déshydraté.

— Qu'est-ce que faisait ton père, pendant la guerre ?

C'est un dialogue parallèle, les deux regards

planant maintenant en escadrille dans le vaste silence lumineux.

— Gendarme, monsieur. A Paris.

Les yeux de Stojil plongent au plus profond du Magasin, et décrochent soudain pour amorcer une remontée tournoyante qui balaye chaque étage, l'un après l'autre, avant de rentrer en eux-mêmes, comme pour y faire leur rapport.

— Tu ne trouves pas que ça sent les pieds, ici?

Le fils du gendarme allume ses oreilles. Mais le veilleur de nuit lui pose une main paternelle sur l'épaule.

— Ne t'excuse pas, ce sont les miens.

Et il ajoute :

— Parfum de sentinelle.

Alors, doucement, pesamment, Stojilkovitch se met à raconter sa vie au petit flic, en commençant par ses tout débuts de séminariste, quand, sentinelle de l'âme, il dressait autour du dogme la double muraille des Ave et des Pater, puis sa crise mystique, sa défroque, son entrée au Parti, sa guerre, les Allemands défilant là-bas, dans le creux des vallées, puis les armées Vlassov (un million d'hommes tous rectifiés à l'arme blanche à la fin des hostilités) chevauchant, tout en bas, sous l'œil immobile de la sentinelle Stojilkovitch (« gardienne des portes balkaniques de ton Europe, mon petit ! ») suivies bientôt par les hordes libératrices, Tatars aux dents aiguës, cavaliers Tcherkesses collectionneurs d'oreilles, Russes blancs collectionneurs de montres, et qui auraient bien aimé les franchir eux aussi, les portes balkaniques, mais c'était compter sans la vigilance de la sentinelle Stojilkovitch, drapée dans les effluves de ses sudations pédestres.

— Une sentinelle ne regarde jamais ses pieds, mon petit, jamais !

C'est beau. Le Magasin prend tout à coup des proportions de Grand Cañon. Stojil veille sur le monde.

— Je n'en ai pas laissé passer un seul ! Et c'est heureux, parce que si j'en avais laissé passer un, mon petit, ce seraient des roubles que boufferaient aujourd'hui tes caisses enregistreuses. Et elles ne rendraient pas la monnaie.

Ma parole, vu de profil, Stojil a vraiment l'air d'un aigle, à présent. Pas de première fraîcheur, certes, mais c'est tout de même quelque chose à côté du jeune poulet qui le dévore des yeux !

— Alors, tu comprends, quand on me donne une bonbonnière à garder, je peux encore y repérer huit charançons.

— Sept, s'excuse Bouche Humide, nous ne sommes que sept.

— Huit. Le huitième est entré il y a cinq minutes et aucun d'entre vous ne s'en est aperçu.

— Quelqu'un est entré dans le Magasin ?

— Par la porte du cinquième qui donne sur le couloir de la cantine. Elle ne verrouille pas ; j'ai rédigé trois rapports là-dessus.

Bouche Humide n'attend pas la fin de la réponse, il se rue sur le micro et l'information explose dans le silence du Grand Cañon. Sur quoi, il nous quitte comme un pet pour foncer vers la porte en question. Les six autres flics, surgissant de leurs comptoirs respectifs, en font autant. Nous admirons quelques secondes, puis, passant son bras autour de mes épaules, Stojil me ramène à l'échiquier.

— Il faut sortir tes pièces et tenir le centre, Ben, sans quoi tu te feras toujours étouffer. Regarde, ton cheval noir et ton fou blanc n'ont même pas bougé.

— Si je sors trop vite, tu forces les échanges et tu finis par me baiser avec tes pions, à la yougo.

— Il faut aussi que tu apprennes à jouer avec tes pions, ce sont eux qui font la différence, en fin de compte.

Nous en sommes là de notre cours de stratégie lorsque s'ouvre la porte de la cabine et qu'entre Julius en personne, Julius frétillant, rigolard, tout jouasse de retrouver son maître, comme tous les mardis à la même heure de la nuit. Je ne lui ai jamais refusé ce plaisir. C'est encore la joie des retrouvailles quand la porte s'ouvre une seconde fois en coup de vent :

— Dites, le veilleur, vous n'auriez pas...

Le flic, qui interrompt sa question en découvrant Julius, est énorme, tout en poitrail, les tifs plantés au ras des sourcils très touffus, très noirs : un pur produit des studios Mack Sennett.

— Nom de Dieu qu'est-ce que ce clébard fout ici ?

— C'est mon chien, dis-je.

Mais la Loi ne veut pas nous faire jouir plus longtemps de sa surprise. Lui, son truc, c'est plutôt la terreur, roulements d'yeux et grincements de dents.

— Qu'est-ce que c'est que cette taule, bordel, où les veilleurs tapent le carton et où n'importe qui peut se balader la nuit avec son clebs ?

J'improvise une explication à la gloire du noble

jeu d'échecs et pour la défense des vieilles habitudes, mais il me la coupe au hachoir :

— Qu'est-ce que vous foutez ici ?

J'annonce que Bouche Humide m'en avait donné l'autorisation.

— Tirez-vous.

Voilà, c'est l'autorité simple. Et, comme de toute façon Julius et moi allions le faire, on se barre. Retour à six pattes au Père-Lachaise.

— Par où partez-vous ?

J'annonce mon itinéraire : la porte bousillée des coursives.

— Mon cul ! Par la porte de service, comme tout le monde !

Changement de cap. Julius et moi descendons l'escalator qui en cinq révolutions nous crachera au rayon des jouets. Dans mon dos, j'entends l'humaniste gueuler :

— Pasquier, raccompagne ce rigolo et sa poubelle !

Et encore :

— Il schlingue, ce clebs !

Pasquier, qui est déjà sur mes talons, me murmure à l'oreille.

— Je suis désolé, vraiment...

Je reconnais la voix enfantine de Bouche Humide.

— La hiérarchie, mon vieux, vous êtes tout excusé.

Devant moi, Julius se farcit prudemment les marches de l'escalator immobile, d'une hauteur pour lui inhabituelle. Son gros cul oscille entre les parois de formica. De quoi faire rêver plus d'un berger. Ravi de retrouver enfin la terre plane du rez-de-chaussée, il se retourne, et, sautillant sur ses quatre pattes, m'offre sa petite danse jubilatoire. C'est vrai qu'il schlingue. Il faudra que je le lave.

C'est lorsque nous atteignons le rayon des jouets que la chose se produit. Qui restera jusqu'à nouvel ordre le souvenir le plus pénible de ma vie. Le chien qui a repris son pas de sénateur se fige soudain. Bouche Humide et moi manquons nous casser la gueule en lui rentrant dedans. Sous le choc, Julius bascule et tombe sur le flanc, raide comme un cheval de bois. Les yeux sont révulsés. Une bave épaisse coule à flots de ses babines noires retroussées en un rictus d'apocalypse. Sa langue est si profondément enroulée dans sa gorge que toute respiration est impossible. Gonflé à éclater, mon pauvre Julius. Oui, un cadavre de cheval longtemps après la bataille. Je me jette sur lui, je plonge mon bras dans sa gueule distendue et tire sur cette langue comme si je voulais l'arracher. Elle cède enfin, se tend dans un craquement, et soudain, les yeux de mon chien retrouvent leur place. Mais l'expression que j'y lis me fait bondir en arrière. C'est alors qu'il commence à hurler, un hurlement lointain de sirène, qui monte, et qui, en s'amplifiant, remplit tout le volume du Magasin d'une terreur à réveiller les morts. Toutes les terreurs du monde en un seul interminable hurlement de chien fou.

— Mais faites-le taire, Bon Dieu !

C'est Bouche Humide qui perd les pédales à son tour. Sans d'abord comprendre ce qu'il fait, je le vois dégrafer le bouton de sa veste, faire sauter la lanière de son holster, saisir son arme, la braquer sur la tête de mon chien.

Mon pied part tout seul, frappe le poignet du flic, et le flingue se perd quelque part dans le Magasin. L'autre reste bras tendu, comme s'il l'avait encore en main. Main qui retombe enfin, mollement. J'en profite pour saisir mon chien à pleins bras.

Il est léger !

Léger comme s'il était vide !

Et il continue de hurler, avec ce regard fou, et ce rictus à dévorer le monde.

— Parce qu'en plus, il est épileptique !

C'est, tout près de moi, la voix du méchant, qui vient de débouler, et qui se marre.

15

Le Magasin semble se remplir plus vite le matin suivant. Pourtant, les flics en faction à toutes les entrées font leur travail minutieusement. Tous les sacs sont fouillés, toutes les poches profondes, tous les renflements suspects. Quelques corps, même, sont palpés, poitrine, entrejambe, que je te retourne, dos, poche revolver, que je te remette à l'endroit, et finalement :

— Passez.

Il faut croire que la clientèle aime ça. Un faux-semblant de danger qui émoustille le prurit consommatoire. Le désir, aussi, de voir à quoi peut ressembler un magasin où explosent des bombes. Le rayon des shetlands est pris d'assaut. Mais les regards ont beau traîner comme des serpillières, rien, pas la moindre trace de sang, pas la plus petite touffe de cheveux dans la laine, que dalle. Il ne s'est rien passé. Rien de rien. Le même arrangement sirupeux de *Chantons sous la pluie* poisse les mêmes rayons où se prennent les mêmes clients, par la trompe. Puis quatre petites notes qui rappellent le Westminster de mon enfance, et le nuage de Miss Hamilton :

— Monsieur Malaussène est demandé au bureau des Réclamations.

Ma journée qui commence.

Cette fille, à la voix de placebo, je l'ai rencontrée, au début de ma brillante carrière. A la cafétéria. Petite, ronde, et rose. Je ne l'imaginais pas autrement qu'avec des fesses de poupée. D'autant qu'elle donnait à ses paupières un mouvement de balancier qui lui fermait les yeux chaque fois qu'elle rejetait sa jolie tête en arrière. Elle aspirait avec une paille un lait rosé, sans doute le secret de son teint de pétale translucide. Tout avait bien commencé entre nous. Ça n'aurait pas dû trop mal finir. Mais elle m'a demandé mon nom.

— Benjamin, j'ai dit.

— C'est joli, comme petit nom.

Aussi bizarre que cela puisse paraître, elle avait la même voix que son haut-parleur : un nuage d'éther, et, à la réflexion, le même teint que sa voix. Elle m'a fait un joli sourire :

— Et l'autre, le vrai, le nom de famille ?

Lecyfre qui passait derrière elle a laissé tomber mon nom sur la table :

— Malaussène.

La fille a écarquillé les yeux.

— Ah ! c'est vous ?

Oui, c'était déjà moi à l'époque.

— Excusez-moi, il faut que je retourne au micro.

Elle n'a même pas fini son lolo.

Déjà ce parfum de bouc...

C'est justement de métier que nous allons parler, dans la tourelle de Lehmann. Sainclair en personne m'y attend. Il s'est assis derrière le bureau de mon chef hiérarchique direct, lequel se tient debout à côté de lui, talons à l'équerre, poitrine bombée, mains croisées derrière le dos, œil franc. Pas de client. Pas de chaise pour m'asseoir. Tout néon. Et le doux regard de Sainclair, notre chef à tous.

— Monsieur Malaussène, le hasard m'a fait rencontrer le commissaire Coudrier chez des amis communs, et savez-vous ce qu'il m'a appris ?

Je note, « hasard », « amis communs », je pense : tu mens, il t'a tout simplement téléphoné, et je réponds :

— Ma foi, je n'ai pas reçu de carton d'invitation.

— Vous étiez pourtant au centre de notre conversation, monsieur Malaussène.

— Ah ! tout s'explique, je dis.

— Quoi donc ?

— Mon rêve de cette nuit, j'y rotais Moët et Chandon.

— Cette nuit, vous ne rêviez pas, monsieur Malaussène, vous perturbiez la bonne marche de la maison en empêchant la police et le veilleur de nuit de faire leur travail de surveillance.

(Les nouvelles vont comme les odeurs.)

Lehmann fronce les sourcils. Sainclair se confectionne un air franchement désolé.

— Votre situation n'est guère brillante, monsieur Malaussène.

(Elle est pourtant meilleure que celle de mon chien. Le vétérinaire de nuit a cassé trois aiguilles dans sa cuisse bétonnée avant de pouvoir le piquer.

Paraît que ça existe, les chiens épileptiques, et que ce soir ça ira mieux. Ce matin, il tirait toujours la langue au monde en le dévorant par les yeux. Même raideur. Même mort.)

— Qu'est-ce qui vous a pris d'aller raconter cette histoire de bouc émissaire à la police ?

Nous y voilà. C'est à propos de ça que Coudrier lui a téléphoné.

— Je me suis contenté de répondre à leurs questions.

Le bureau est absolument lisse, devant Sainclair. D'un revers de petit doigt, il en chasse une poussière fictive.

— Nous étions pourtant convenus du prix de votre discrétion, monsieur Malaussène.

Son style m'emmerde. Je le lui dis. Je lui dis aussi que les conditions ont singulièrement changé. Il pleut des bombes dans son Magasin. La police cherche le bombardier. On passe au crible les sujets de mécontentement de tous les employés. Et celui qui a la plus mauvaise presse, c'est moi, puisque je me fais engueuler du matin au soir. Il ne me paraît donc pas monstrueux d'expliquer clairement ma situation au super flic, pour qu'il n'aille pas s'imaginer que je passe mes nuits à piéger la boutique pour me venger de mes déboires diurnes. (Je dis « déboires diurnes » en style Sainclair.)

— C'est pourtant l'idée que vous lui avez mise dans la tête, monsieur Malaussène.

Aucune satisfaction dans la voix de Sainclair. Il a l'air sincèrement désolé. Il explique :

— Je n'ai même pas eu à vous démentir, le commissaire Coudrier n'a pas cru un mot de ce que vous lui avez raconté. Comment aurait-il pu vous croire ? La fonction dite de « Contrôle Technique » existe dans toutes les entreprises semblables à la nôtre. Et, compte tenu de sa nature, il est parfaitement normal que les réclamations de la clientèle lui soient transmises...

Je l'écoute et je crois rêver. Cette fonction est, ici, totalement bidon, il le sait, et je lui dis qu'il le sait.

— Evidemment, monsieur Malaussène ! Vu le nombre d'articles qui sortent d'un grand magasin en une journée, comment voulez-vous que le Contrôle Technique puisse contrôler quoi que ce soit ? Même en multipliant les contrôleurs, comme le font la plupart des grandes surfaces, le pourcentage des réclamations reste sensiblement le même. Il m'a donc paru plus rentable de donner à cette fonction un caractère... comment dire ? « relations publiques », rôle dont vous vous acquittez très bien, je dois dire, et qui présente le double avantage de limiter le nombre de postes et de régler la plupart des litiges à l'amiable.

C'est en effet sa grande théorie. Il me l'a exposée en long et en large le jour de mon embauche. Pourquoi ai-je marché dans cette combine ? Pour rire ? (très drôle...) Parce que ma mère est une fugueuse et que le chômage ne sied pas au tuteur d'une famille nombreuse ? (on s'approche...) Mystère de ma nature profonde ? (bof...) En tout cas, j'ai accepté de puer le bouc, et c'est une odeur qui dérange.

Sainclair doit lire dans mes pensées, car c'est à ce stade de mon mutisme qu'il me pose une devinette :

— Monsieur Malaussène, savez-vous ce que Clemenceau disait de son chef de cabinet ?

(Je m'en tape.)

— Il disait : « Quand je pète, c'est lui qui pue. »

La brioche de Lehmann s'agite convulsivement. Et Sainclair ajoute :

— Il y a des tas de gens très bien qui sont chefs de cabinet, monsieur Malaussène, on se bat même sauvagement pour ça !

Je suis incapable de décrire Sainclair. Il est beau, il est fin, il est doux, il est réussi, on dirait un nouveau philosophe, un nouveau romantique, un nouvel after-shave, il est nouveau et pourtant nourri au grain de la tradition. Il m'ennuie.

— Ne vous faites pas passer pour paranoïaque aux yeux de la police, monsieur Malaussène. Imaginez qu'ils vérifient cette histoire de bouc émissaire en interrogeant vos collègues. Que découvrirait le commissaire Coudrier ? Un Contrôle Technique qui ne contrôle rien. Qui par conséquent ne fait pas son travail. D'où le fait qu'il soit sans cesse appelé au bureau des Réclamations. Voici donc les conclusions auxquelles aboutirait inévitablement le commissaire Coudrier. Et vous m'avouerez que ce serait un comble, non ? Puisque, au contraire, votre travail vous le faites très bien !

Là (je m'autorise l'originalité de l'expression) j'en reste sans voix. Ce qui permet à Sainclair d'enchaîner :

— J'ai eu toutes les peines du monde à convaincre le commissaire Coudrier que vous plaisantiez. Un conseil, Malaussène, ne jouez pas avec le feu.

Je note la suppression du « monsieur », et puis,

allez savoir pourquoi, je pense au Petit et à ses ogres Noël, je pense à la nouvelle solitude de Louna, je pense à la course-fuite de ma mère, je pense à mon chien subitement amidonné, ça me flanque le bourdon, une blessure d'amour, un coup de pompe, je ne sais quoi, et je réponds :

— Je ne jouerai plus à quoi que ce soit chez vous, Sainclair, je me barre.

Il hoche tristement la tête.

— La police a pensé à ça aussi, figurez-vous. Aucun mouvement de personnel n'est autorisé jusqu'à la fin de l'enquête, ni renvoi ni embauche. Navré, j'aurais volontiers accepté votre démission.

— Vous serez encore plus navré quand je pisserai dans mon froc devant la clientèle, quand je me roulerai par terre la bave aux lèvres ou quand je sauterai à la gorge de ce sac de médailles pour lui arracher les amygdales avec mes dents.

Sainclair fait instinctivement le geste de retenir Lehmann qui n'a plus envie de se marrer.

— Ce ne serait pas une mauvaise idée, Malaussène, le Magasin a plutôt besoin d'un coupable, ces temps-ci. Si vous voulez vous donner le profil d'un dynamiteur fou, ne vous gênez pas.

L'entretien est clos. Il est beau, Sainclair. Il est tout jeune, il est efficace, il est vieux comme le monde. Je quitte la pièce avant lui. La main sur la poignée de la porte je me retourne pour poser ma propre devinette :

— Dites-moi, Sainclair, dans quel Tintin un personnage sort-il d'une pièce en déclarant, à propos d'un autre personnage : « il me le paiera cher, ce vieil hibou » ?

Sainclair me répond avec un beau sourire d'enfant :

— Le professeur Müller dans *Le Pays de l'Or Noir*.

J'effacerai ce sourire.

16

A la maison, je trouve Clara au chevet de Julius. Elle a séché le lycée pour le veiller toute la journée.

— Il faudra que tu me fasses un mot.

Julius est égal à lui-même, couché sur le flanc, les pattes parallèles, rigide comme une bonbonne. Pourtant son cœur bat. Il résonne dans une cage vide. Un cœur greffé par Edgar Poe.

— Tu lui as donné à boire ?

— Il ne garde rien.

Je caresse mon chien. Son poil est rêche. On dirait qu'il est passé entre les mains d'un taxidermiste fou.

— Ben ?

Clara me prend le bras, me fait doucement pivoter sur moi-même et pose sa tête sur ma poitrine.

— Ben, Thérèse est montée le voir à midi. Elle a eu une vraie crise de nerfs. Elle se roulait par terre en hurlant qu'il voyait l'enfer. J'ai dû faire venir Laurent. Il lui a fait une piqûre. Elle est en bas. Elle se repose.

Ma Clara... joli programme pour une journée d'école buissonnière !

— Et les petits, ils l'ont vu ?

Non. Elle a demandé aux enfants de déjeuner à la cantine et de rester à l'étude. Elle se serre un peu plus fort contre moi. Je dégage doucement son oreille, conservant un instant la chaleur de ses cheveux sur le dos de ma main. Je demande :

— Et toi, tu n'as pas eu peur ?

— Si, au début. Alors je l'ai pris en photo.

Ma chérie, mon attentive, qui anesthésie l'horreur à coups d'obturateur ! Je la tiens maintenant à bout de bras. Je n'ai jamais vu un regard aussi calme.

— Un jour tu les vendras, tes photos, et ce sera ton tour de faire bouillir la marmite.

C'est elle, maintenant, qui me regarde vraiment.

— Ben, si tu en as assez de ce travail, ne te crois pas obligé de le garder.

(Mon Dieu, les femmes...)

En bas, Thérèse est allongée sur le dos, le regard ventousé au plafond. Je m'assieds à son chevet. Ça m'a toujours posé un problème de câliner Thérèse. On dirait que la moindre caresse l'électrocute. Alors, j'y vais prudemment. Je dépose un baiser sur son front glacé, et je dis, de la voix la plus douce possible :

— Ne te raconte pas d'histoires, Thérèse, l'épilepsie est une maladie courante, bénigne, qui s'attaque aux gens très bien, regarde Dostoïevski...

Rien du tout. Je dégage une des mains qui agrippe un drap jauni de sueur séchée, je baise un à un les doigts qui se détendent, et, faute de mieux, je continue sur le même thème :

— Le Prince Muychkine, l'homme trop bon,

épileptique ! Il paraît qu'on éprouve un extraordinaire bien-être au moment de la crise. Julius est un chien trop bon, Thérèse, et c'est aussi un jouisseur...

Lui parler de jouissance manque un peu d'à-propos, mais en tout cas, ça la réveille. Sa tête tombe enfin de mon côté :

— Ben ?

— Oui, ma toute belle ?

— Les deux morts du Magasin...

(Oh ! merde...)

— Ils devaient mourir comme ça, Ben.

(Et voilà.)

— Ils sont nés le 25 avril 1918, c'est dans le journal. Ils étaient jumeaux.

— Thérèse...

— Ecoute-moi, même si tu n'y crois pas. Ce jour-là, Saturne était en conjonction avec Neptune et tous les deux au carré du soleil.

— Thérèse, mon ange, c'est pas que je n'y crois pas, mais je n'y comprends rien, je t'en supplie, j'ai une dure journée de boulot derrière moi.

Rien à faire.

— Cette conjonction indique des esprits foncièrement mauvais, enclins à des pratiques douteuses ou illicites.

(« Des pratiques douteuses ou illicites », ce n'est pas le style Sainclair, ça, c'est le style Thérèse.)

— Oui, Thérèse, oui...

— Le carré avec le soleil indique la soumission de l'individu à des forces mauvaises.

Heureusement que Jérémy n'est pas là !

— Et la présence du soleil en huitième maison est un indice de mort violente.

Elle est maintenant assise sur le bord du lit. Son ton n'a rien d'exalté. La sérénité érudite d'un topo au Collège de France.

— Thérèse, il faut que j'aille faire les courses.

— J'ai fini dans une seconde : la mort intervient par le transit d'Uranus le destructeur sur le soleil radical.

— Et alors ? (Cela, sur un ton jérémyesque qui m'a échappé.)

— Eh bien ! c'était le cas le 2 février, le jour où la bombe les a tués dans le Magasin.

C.Q.F.D. Voilà, elle est complètement remise. Crise de nerfs ? jamais. Elle se lève, met de l'ordre dans l'ex-boutique qui n'a pas été rangée depuis ce matin. Au moment où elle s'attaque aux lits des petits, une idée subite me vient.

— Thérèse ?

— Oui, Benjamin ?

Sous ses mains, les oreillers retrouvent le doux volume qui invite au sommeil.

— Pour Julius, il ne faut pas que les petits sachent. Il est trop moche à voir. Alors il s'est fait renverser par une bagnole en venant me chercher hier soir et on l'a transporté dans une clinique pour clebs. « Ses jours ne sont pas en danger. » D'accord ?

— D'accord.

— Et toi non plus ne remonte pas le voir.

— D'accord, Ben, d'accord.

Quand je me balade dans Belleville, quelle que soit l'heure de la journée, j'ai toujours le sentiment de m'être égaré dans un des albums de Clara. Elle l'a photographié sous tous les angles, ce foutu quartier. Des vieilles façades aux jeunes dealers en passant par les montagnes de dattes et de poivrons, elle a tout capturé. C'est comme si je me promenais déjà en pleine nostalgie. (Combien d'heures de cours séchées ça peut représenter, une telle prouesse ?) Elle a même enregistré la voix du muezzin en face de chez Amar. Ce soir, pendant que ledit muezzin développe une sourate longue comme le Nil, une bande d'Arabes et de Sénégalais roulent un jeu d'enfer à la porte du restaurant. Les dés claquent dans les têtes et jaillissent sur une caisse de carton retournée. L'atmosphère me semble un peu plus nerveuse que d'habitude. Et en effet, à peine me suis-je fait cette réflexion qu'une lame jaillit au bout d'un poing tendu, pendant que l'autre main rafle les mises. La lame vibre tout contre le bide d'un Noir monumental qui devient gris, comme dans les livres. Mais Hadouch (il mastiquait nonchalamment un bout de zan appuyé au mur du restau), Hadouch a bondi. Le tranchant de sa main s'abat sur le poignet de l'Arabe qui lâche son couteau dans un hurlement. S'il ne lui a pas cassé le poignet, c'est qu'il était en acier trempé. Hadouch plonge sa main dans la poche de l'Arabe et en ressort l'objet du litige, une pièce de cinq francs qu'il tend au Sénégalais. Puis, à moi qui me suis approché :

— Tu te rends compte, Ben, truander un grand Noir pour une petite blanche, c'est vraiment la crise !

Et, se retournant vers l'homme au couteau :

— Toi, demain, tu rentres au pays.

— Non, Hadouch !

Un vrai cri de détresse. Plus fort que la douleur du poignet.

— Demain. Prépare tes affaires.

Après qu'Amar m'a demandé des nouvelles des miens jusqu'à la septième génération et que je lui ai rendu la pareille, je ressors du restaurant, porteur dans mon petit cabas de cinq parts de couscous et cinq paires de brochettes.

— Elle est comment, cette clinique ?

Les petits, briqués comme des sous neufs dans leurs pyjamas frais, sont lancés dans la course aux détails. Et les deux grandes, dans leurs chemises parfumées, m'écoutent comme si elles aussi voulaient y croire, à cette histoire de clinique.

— Super. Tout ce qu'il faut pour un chien de luxe. La télé dans chaque piaule avec un programme spécial selon les caractères.

— Allez...

— Je vous jure.

— Et c'est quoi, le programme de Julius ?

— Tex Avery.

Jérémy en tombe de son plumard.

— On va le voir, dis, on va le voir demain ?

— Impossible, c'est interdit aux mômes.

— Pourquoi ?

— Ils pourraient contaminer les clebs.

Voilà. La soirée passe. On en revient évidemment au feuilleton sanglant du Magasin où fiction et réalité copulent joyeusement. Côté fiction, Pat les Pattes et Jib la Hyène mènent leur enquête dans les égouts de Paris (merci mon vieux Sue), des fois qu'ils déboucheraient au cœur du Magasin (merci Gaston Leroux). Chemin faisant, ils rencontrent un python neurasthénique qu'ils adoptent incontinent pour meubler leur solitude d'homo-urbanus (merci Ajar). Ici, une interruption songeuse de Jérémy.

— Dis, Ben, le Stojil, il est si fortiche que ça comme gardien de nuit ?

— Si que ça, oui.

— Alors, on ne peut introduire de bombe ni de jour ni de nuit, dans cette piaule, non ?

— Ça me paraît difficile.

— Même par les égouts ?

— Même.

Clara s'est levée pour coucher le Petit qui s'est endormi, assis tout droit sur son gros cul, ses lunettes sur le nez. Thérèse sténographie aussi sérieusement qu'à l'Assemblée.

— Moi, dit Jérémy, je saurais comment m'y prendre.

— Et comment ?

— Tu verras.

Légère inquiétude...

17

Je me suis levé cinq ou six fois dans la nuit pour écouter la respiration de Julius. Il respire, si on peut appeler ça respirer. J'ai plutôt l'impression que l'air pénètre dans son corps et en sort par un mouvement de ventilation indépendant de sa volonté. Ça respire pour lui. Et je ne parle pas de l'odeur, quand ça ressort par sa gueule béante de gargouille hallucinée...

Dire qu'il est vivant !

J'ai combattu le désespoir par quelques pensées facétieuses. Je me suis dit, par exemple, que je pourrais en profiter pour lui donner un bon bain, qu'il ne risquait pas de se tirer en exportant des paquets de mousse dans tout l'immeuble. Ça ne m'a pas fait rire. J'ai donc essayé de me rendormir. J'ai dû y arriver, puisque ce matin je me suis réveillé. D'une humeur de chien, bien que ce soit mon jour de congé hebdomadaire.

J'ai immédiatement appelé Louna.

— C'est toi, Ben ?

— C'est moi. Passe-moi Laurent.

Sanglots au bout du fil. Son Laurent n'est pas rentré de la nuit.

— Oh ! il ne reviendra plus, Ben, il ne reviendra plus, je le sens !

La crise. Moi, je sais bien que si Laurent n'est pas avec elle, c'est qu'il est à l'hosto. Pas lieu de s'affoler. Il n'a jamais pu la quitter pour quelqu'un d'autre que ses malades.

— Donne-moi le numéro de l'hôpital.

— Oh ! Ben, je t'en prie, sois gentil avec lui, il est si malheureux !

— Mais je suis *gentil* ! J'ai toujours été *gentil* ! Avec qui ne suis-je pas *gentil*, bordel de merde ?

A l'hôpital, même topo. A peine me l'a-t-on passé, que le docteur Laurent Bourdin (passion exclusive de ma frangine depuis sept ans) se lance dans une vaste explication sur ses angoisses face à la paternité.

— J'attendais ton coup de fil, Ben, je savais que tu m'appellerais, mais excuse-moi, ça ne change rien à rien, elle n'aurait jamais dû me faire ce coup-là, se faire enlever son stérilet en douce, je n'ai jamais voulu d'enfant et je n'en voudrai jamais, elle le savait, et même si j'en avais voulu, il me semble que je l'aurais préférée, elle, toute seule, pour la vie, tu vois ce que je veux dire, et puis pour faire des gosses, il faut s'aimer soi-même, et je ne m'aime pas, pas du tout, jamais pu me blairer, c'est sans doute pour ça que je suis toubib, Ben, comprends-moi, je veux bien qu'elle m'aime, mais je ne veux pas qu'elle me *reproduise*, tu comprends ça, non ? Ecoute, Ben, en tout cas, ne va pas te mettre dans la tête que j'ai voulu offenser la famille...

(« Offenser la Famille », nom de Dieu, il me parle comme si j'étais le Parrain en personne !)

... mais qu'elle choisisse de se faire avorter ou pas, de toute façon c'est foutu entre nous, maintenant...

J'attends qu'il s'essouffle pour poser ma question :

— Laurent, combien peut durer une crise d'épilepsie ?

Illico, le pro, en lui, se branche sur la ligne.

— Tu parles de Julius ? Quelques heures...

— Ça fait maintenant une journée et deux nuits pleines.

Silence. Mise en branle de ses engrenages à diagnostics.

— C'est peut-être le tétanos. Vous avez fait du bruit autour de lui ?

— Non, à part la crise de Thérèse, aucun bruit.

— Va claquer la porte de ta chambre, si c'est le tétanos, il sautera au plafond.

(Délicat procédé d'investigation.) Je claque la porte de ma chambre. Que dalle. Julius reste de marbre.

— Alors, je ne sais pas, conclut le docteur Bourdin.

(« Je ne sais pas »... médecin honnête.)

— Laurent, combien de temps peut tenir un organisme, sans bouffer ni boire ?

— Ça dépend de la nature de la maladie, mais de toute façon, au bout de quelques jours, il y a des tas de trucs qui s'abîment sérieusement.

A mon tour de réfléchir. Ce que je trouve à dire est simple comme le désespoir.

— Je veux que tu sauves mon chien.

— Je ferai tout mon possible, Ben.

Je me fais un café. Quand il est bu, j'imagine le marc dégoulinant sur les parois intérieures de mon crâne, et je cherche à lire le destin de Julius dans les méandres de cette coulée brune. Mais je ne suis pas Thérèse, les astres ne sont pas mes potes, le marc de café peut tout juste servir d'engrais au noir géranium de ma déprime. Laquelle déprime m'amène à reconsidérer le sourire radieux de Sainclair, et ma promesse d'effacer cette certitude aux dents blanches.

Oui, il y a quelque chose à faire de ce côté-là. Je suis comme Julius, pour ça : on m'a chassé de bien des endroits dans ma vie, mais on ne m'a jamais forcé à rester où je ne voulais pas. M'occuper de Sainclair, donc. L'obliger à me virer du Magasin ! C'est ça, le forcer à me jeter ! (En voilà un avec qui je ne vais pas être « gentil ».) Ça m'évitera de penser à autre chose. Le début d'une idée commence à germer quand j'enfile la première jambe de mon pantalon. Ça se précise à la seconde. Ce n'est pas loin d'être l'idée du siècle quand je boutonne ma chemise. Et je jubile tellement en laçant mes godasses qu'elles partiraient sans moi réaliser ce projet de génie. Je descends les escaliers comme une tornade lessivante, passe en trombe chez les petits où j'emprunte quelques photos prises par Clara, sors et plonge dans le métropolitain. C'est un mois de février tout ce qu'il y a d'hivernal avec une clientèle tout ce qu'il y a de morose. Khomeyni envoie les nouveau-nés au casse-pipe, l'Armée Rouge défend les petits frères afghans jusqu'au dernier, la Pologne change de pogrom, Pinochet tue (Pinochétue), Reagan éponge, la Droite dit que c'est la Gauche, la Gauche dit que c'est la Crise, un poivrot affirme, preuves à l'appui, que c'est la merde, Caroline ne veut pas avouer qu'elle est enceinte, le Secrétaire général du parti communiste souffle dans le ballon à sondages et récolte un alcootest, mais moi, moi, Ubu Roi, « citadelle vivante », je biche tellement que je ne vois pas passer les stations qui me séparent d'*Actuel,* le mensuel de tous les « moi ».

Pourtant, ma fièvre créatrice tombe à zéro quand je me trouve devant la porte du journal. C'est que je ne connais pas le nom de tante Julia. Si je la décris, je risque juste de faire bander toute la rédaction. « Je suis timide », pensé-je en faisant le tour du pâté de maisons et en cherchant sur le bord du trottoir un objet que je crois pouvoir reconnaître tout de suite. Je le reconnais. La quatre chevaux jaune citron de tante Julia est garée sur une aire de livraison, deux contredanses plaquées sur son pare-brise d'époque. Un tout petit commerçant mangeur d'Arabes menace d'appeler les flics. Je lui suggère de téléphoner plutôt aux voyoux dorés d'*Actuel* et lui laisse entendre avec un clin d'œil bien dégueulasse qu'il ne sera pas déçu en voyant débouler la carrosserie de la proprio (sic). Sur quoi, j'ouvre la portière, m'installe, attends. Peu. Tante Julia débarque dans la minute qui suit. Malgré le froid, elle a un corps. Le petit commerce qui ouvrait déjà sa grande gueule s'accroche à ses cageots, injures gelées dans le gosier. Tante Julia se jette derrière son volant, et, sans même me regarder, dit :

— Tire-toi.

— J'arrive à peine.

Elle démarre rageusement, tout en me déclarant que je suis un beau salaud, qu'elle a reçu la visite des flics au journal, qu'ils lui ont posé quelques questions à la con sur l'explosion, et qu'ils lui ont demandé ensuite si elle n'avait pas honte de faucher des pulls dans un pays qui compte deux millions de chômeurs alors qu'elle-même est salariée et qu'elle doit se faire les couilles en or (« si je puis dire » aurait ajouté l'inspecteur). Tous ses copains étaient morts de rire, elle de rage et bien décidée à venir me sectionner les miennes au massicot.

Brusquement, elle pile au milieu du boulevard des Ritals, dans un concert de klaxons, et se retourne vers moi :

— Franchement, Malaussène (c'est vrai qu'elle connaît mon nom, elle) quel genre de mec es-tu ? Tu me sauves du clébard maison, tu me fais grimper sans me sauter, et ensuite tu me balances aux flics ! Mais quel genre de type tu es ?

(Je pense à mon ami Cazeneuve, mais je le garde pour moi.)

— Je suis encore pire que ça, tante Julia.

— Arrête de m'appeler tante Julia et descends de ma bagnole.

— Pas avant de t'avoir fait une proposition.

— Rien du tout, je t'ai assez vu !

— J'ai un sujet d'article pour toi.

— Encore un papier sur les bombes du Magasin ? Il y a cinquante mecs de chez vous qui débarquent au journal tous les jours pour nous dévoiler le pot-aux-roses. Vous nous prenez pour *Paris-Match*, ou quoi ?

Ça klaxonne de tous les côtés. Julia embraye et passe en trombe sous le nez d'un flic côte-du-rhône qui note son numéro en léchant ses lèvres violettes.

— Rien à voir avec les bombes. Ecoute-moi cinq minutes, et si ça ne t'intéresse pas, tu n'entends plus parler de moi jusqu'à la fin de ta palpitante existence.

— Deux minutes !

Va pour deux minutes. Il ne m'en faut pas plus pour lui expliquer mon rôle dans le Magasin et pour lui faire piger le beau reportage photographique que ça ferait dans le mensuel distingué qui l'emploie. Elle ralentit au fil de mon exposé pour couler finalement sa voiture dans le large espace d'un passage clouté où elle nous immobilise en toute illégalité.

Puis elle se retourne lentement vers moi.

— Bouc Emissaire, hein ?

Sa voix a retrouvé ce feulement des savanes qui me fait fleurir.

— C'est mon boulot, oui.

— Mais ce n'est pas un boulot, ça, Malo ! (J'ai toujours détesté être appelé Malo) c'est une vraie tranche de mythe ! Le mythe fondateur de toute civilisation ! Tu as conscience de ça ?

(Allons bon, voilà autre chose, tante Julia qui s'allume.)

— Pour ne parler que du judaïsme, par exemple, et du christianisme, son petit frère clean ! Malo, t'es-tu déjà demandé comment Yahvé, le Parano Sublime, faisait fonctionner ses innombrables créatures ? En leur désignant le Bouc Emissaire à chaque foutue page de son foutu Testament, mon chéri !

(Je suis son chéri, maintenant. Qu'est-ce que tu en penses, Sainclair, tant de passion, ça va faire un bel article, non ?)

— Et les cathos, et les parpaillots, comment crois-tu qu'ils s'y sont pris pour durer et pour remplir leurs coffres ? En désignant le Bouc, toujours et toujours !

(Ma parole, cette fille a une théorie cosmique pour chaque micro-circonstance de la vie.)

— Et les staliniens d'en face, avec leurs procès exemplaires ? Et nous, qui croyons qu'il ne faut croire en rien, comment penses-tu que nous réussissons à ne pas nous prendre pour des merdes ? En reniflant le parfum de bouc du voisin, Malo (encore Malo !) et s'il n'y avait pas de voisin on se couperait en deux pour se faire un bouc à nous, portatif, qui puerait à notre place !

Je passe volontiers sur le fait qu'elle m'appelle Malo pour admirer son enthousiasme. C'est la même tante Julia que le soir de notre rencontre. L'œil et la crinière qui flamboient. Mais, vu mes antécédents, je me contiens. Je demande seulement :

— Alors, ce reportage, tu le veux ?

— Si je le veux ? Je n'aurais pas rêvé mieux dans mes chasses les plus folles ! Le Commerce et son Bouc, tu parles !

(Tu entends, Sainclair ?)

Bon, elle le veut. C'est maintenant qu'il faut la jouer fine. Aussi murmuré-je finement :

— J'y mets une condition.

Elle se rétracte aussitôt.

— J'aime le sujet mais je n'aime pas les conditions, sinon, je bosserais au *Figaro*.

— J'impose le photographe.

— Quel photographe ?

— Une femme. Celle qui a pris cette photo.

J'exhibe la photo que Clara a prise de nous deux le soir de mes prouesses. On y lit clairement sur le visage de Julia la fureur stupéfaite provoquée par la question de Thérèse quant au calibre de ses seins. Pour ce qui est de moi, je suis l'image même du rétrécissement.

18

Elle trouve la photo pas mal. Je la lui donne, avec le négatif en prime. Puis viennent les photos du Bois, Théo servant le vatapà aux travestis brésiliens, la nudité pailletée des corps dans la nuit, à travers la vapeur déchirée qui s'élève des assiettes. La joie des visages aux maxillaires saillants, toujours un demi-cran au-dessus de la jubilation hétérosexuelle.

— Comment a-t-elle fait pour prendre ces traves au travail ? demande Julia, ils sont presque tous clandestins.

— Elle sait se faire aimer du sujet, Julia, c'est une sorte d'ange.

Maintenant nous roulons dans Paris, paisiblement, comme au cœur de la Beauce. Julia a voulu que je lui parle de tout, de moi, du Magasin, de ma famille, et, ma foi, je lui en parle. Je lui en parle encore au restaurant qu'elle m'offre aux frais de sa rédaction. Je lui parle de ma mère, branchée sur l'ailleurs, de Thérèse, au-delà de tout, du Petit et de ses ogres Noël, de Jérémy, tout ce qu'il y a d'ici bas, de ce petit monde que je nourris en endossant la faute originelle de la société marchande. Et, quand j'en arrive à Louna qui se demande si elle va ou non conserver le fruit de son unique amour, tante Julia enroule sa longue main brune autour de la mienne :

— A propos de faire sauter ou pas, tu veux m'accompagner, cet après-midi ? J'ai un reportage à faire sur la question.

La salle de conférences où nous introduit la carte de presse de tante Julia tient du palais de l'Elysée quant aux proportions et du Train Bleu de la gare de Lyon pour la sauce mordorée. Une laideur qui passe les siècles et draine les devises. La salle est presque comble. On entend le frais murmure du beau linge. Nous nous faufilons jusqu'aux bancs latéraux réservés à la presse, de part et d'autre de la tribune, disposition qui donne à l'ensemble une allure de Cour d'assises. C'est d'ailleurs une sorte de procès qui se tient ici. Le procès de l'Avorteuse. Du moins à en croire le crâne rasé qui s'exprime, debout derrière la vaste table tendue de velours rouge. Devant lui, la salle écoute, à côté de lui, les autres compétences écoutent, et tante Julia, qui a sorti son petit calepin, écoute. Moi, je me demande où j'ai déjà vu cette large gueule totalement épilée, ces oreilles pointues, ce regard mussolinien, cette soixantaine indestructible. Une chose est sûre, je n'ai jamais entendu cette voix. Même, de ma vie je ne me suis laissé percer les tympans par un organe aussi froidement métallique. Tante Julia, elle, connaît et le type et la voix. Elle vient d'inscrire sur son petit carnet — d'une écriture étonnamment mesurée pour un être si volcanique : « Le professeur Léonard égal à lui-même. » Elle tire un sage trait d'écolière, avant d'ajouter : « toujours aussi con. » Ce qui m'incite à écouter à mon tour.

Si je comprends bien, le Léonard en question (professeur de quoi ?) se trouve être le président d'une certaine *Ligue nataliste et pour la défense de la jeunesse*, suffisamment importante dans le pays pour y peser un certain poids électoral. Et c'est justement ça qui l'agite, Léonard.

— En conscience, et étant entendu que nous ne faisons pas ici de politique, que nous nous bornons à nous informer (aurais-je déjà entendu ça quelque part ?) la question se pose de l'usage que nous, chrétiens, natalistes, Français enfin, allons faire de nos voix lors des prochaines échéances électorales.

(Ah ! bon, c'est donc ça...)

— Iront-elles grossir les rangs de ceux qui, au mépris de nos valeurs les plus sacrées, LÉGALISÈRENT L'AVORTEMENT ?

Question posée avec une telle flamme dans le regard qu'un courant d'air d'enfer calcine l'assemblée.

— Non, je ne le pense pas, susurre Léonard qui a le sens de la foule, je ne le pense pas...

(Franchement, moi non plus). Je jette un petit coup d'œil par-dessus l'épaule de tante Julia qui n'a rien écrit de nouveau. Quand je rebranche mes oreilles, Crâne d'Obus en est à disserter sur l'immigration « dont le taux de tolérance est depuis longtemps dépassé », à énumérer tous les problèmes posés par ce fléau « tant du point de vue économique que sur le plan scolaire, pour ne pas parler de la sécurité en général et de celle de nos filles en particulier... »

De deux choses l'une, ou ce type n'aime pas les Arabes ou il n'a aucune confiance en sa fille. De toute façon, dans les deux cas, Hadouch lui casserait tous ses petits poignets. Je me permets de distraire mon attention pour laisser mon regard planer librement sur la foule. Tout ce qu'il y a de proprette, la foule. Avec cette résignation à la richesse que donne la pratique séculaire des mariages efficaces. Essentiellement des femmes. Les hommes sont restés à la gestion. Et, je ne sais pas pourquoi, ça me fait penser à Laurent, à Louna, à leur rencontre. Elle avait dix-neuf ans, elle montait les escaliers du métro, il en avait vingt-trois et il les descendait. Elle venait d'être plaquée par un zombie qui préférait les abstractions ; lui allait présenter son internat de médecine. Il la vit, elle le vit, Paris cessa de circuler. Il n'alla pas passer son concours, et pendant un an ils ne quittèrent pas leur chambre. Je leur apportais des petits paniers de bouffe et de bouquins (parce qu'ils mangeaient, tout de même. Ils avaient même un certain appétit. Et entre leurs voyages interstellaires, ils se faisaient la lecture, parfois même *pendant*, comme quoi ce n'est pas incompatible.) Dites voir, mesdames, lequel de vos époux cinquante carats vous a sacrifié un grand concours, une pleine année d'études, un an de manque à gagner, comme ça, pour l'Amour, et pour le Roman, hein ? Lequel ?

Tu t'égares, Malaussène, considère plutôt le changement d'acteurs. C'est que Léonard-le-Chauve vient de s'asseoir pour laisser la parole à un autre professeur (une tribune mandarine, j'ai compris) lequel, en se levant, me fout un vrai choc. L'antithèse du précédent ! Autant Léonard est compact, luisant, achevé, dangereux, autant celui-ci, qui déclare être le professeur Fraenkhel, obstétricien, (en effet, j'ai déjà entendu ce nom-là dans ce secteur-ci) autant, dis-je, celui-ci est tremblant, douloureux, fragile. Avec son ossature noueuse pour une maigreur gigantesque, sa chevelure tous azimuts, son regard d'enfant saisi par la surprise adulte, on dirait une créature approximative et beaucoup trop bonne, sortie de la cervelle d'un Frankenstein sous acide pour être lancée sans défense dans un monde qui ne lui fera que des ennuis.

— Je ne parlerai pas de politique, affirme-t-il à son tour (mais lui, bizarrement, je le crois), je m'en tiendrai à l'Ecriture, et à ce que nous enseignent les Pères de l'Eglise...

Cela résumé en une phrase mais qui lui prend un bon quart d'heure pendant lequel l'assemblée s'endort. Tout y passe : « Laissez venir à moi les petits enfants, le chameau, le riche et le trou de l'aiguille, heureux les simples, la première pierre à qui n'a pas péché », pour finir par cette phrase, tirée de Saint Thomas ou d'un autre : « *Mieux vaut naître malsain et contrefait que de ne naître point.* »

Et c'est l'incident.

Comme diraient les journaux.

Une grande fille blonde du second rang, que je n'avais pas remarquée, emmitouflée dans une fourrure babylonienne, se dresse comme une apparition, plonge sa main dans son Hermès de sac, en sort une chose innommable et sanglante qu'elle jette de toutes ses forces sur le conférencier en glapissant d'une voix dépourvue d'accents circonflexes :

— Tiens, en voilà du contrefait, espèce de connard !

La chose passe au-dessus des têtes dans un sifflement spongieux et vient s'écraser sur la poitrine de Fraenkhel en éclaboussant d'un sang âcre toute l'honorable tablée. Fraenkhel n'est plus l'image de la douleur, il est la Douleur personnifiée. Mais Léonard, avec un cri et une rapidité de chat sauvage, précipite ses soixante balais par-dessus la table de conférence, et se rue sur la fille, l'œil fou, les serres en avant. Une seconde de plein vol pendant laquelle la fille saute sur sa chaise, ouvre grand son manteau et s'écrie :

— Bouge pas, Léonard, je suis chargée !

Léonard est fixé en pleine trajectoire. La tribune officielle pousse le même cri horrifié. La fille vient de dévoiler le plus somptueux corps de femme enceinte que nataliste puisse rêver. Nu des pieds à la tête, épanoui et tendu comme une divine montgolfière, la fertilité dans toute sa planétaire exhubérance.

Tante Julia note, de son écriture d'écolière, que le professeur Léonard vient de faire connaissance avec la dialectique.

Plus tard, dans la quatre chevaux, comme je revois la douleur ensanglantée de Fraenkhel, j'émets l'opinion que la fille s'est trompée de cible. C'est sur le professeur Léonard qu'elle aurait dû balancer son mou de veau, c'était lui le vrai méchant loup. Julia se marre doucement :

— Je croyais que tu étais maso, Malaussène, pour accepter ce boulot tordu de Bouc Emissaire, mais non, en fait, tu es une sorte de saint.

Ça doit être ça.

Le saint se fait déposer à la porte du Magasin et se met à rôder dans les allées du rez-de-chaussée. A la recherche de quelqu'un. Quelqu'un de très précis. Qu'il faut que je trouve absolument. Urgence. Il est sept heures du soir. J'espère qu'il ne s'est pas encore barré. Doux Jésus, faites qu'il soit encore là. Allez, un bon geste, je ne vous demande jamais rien, Seigneur. Il y a même de fortes chances pour que vous n'ayez jamais entendu parler de moi. Exaucez mon vœu, bordel ! Merci ! Il est là. Je le vois. Il va tourner le coin des shetlands. Pas l'ombre d'un client dans le secteur. Au poil. Je presse le pas. On se rencontre.

— Salut, Cazeneuve !

Et je lui balance un uppercut au foie, un vrai, avec tout le poids de mon corps. (J'ai appris ça dans les livres.) Il se casse en deux. J'ai juste le temps de faire un petit saut en arrière, pour qu'il dégueule sur ses chaussures, pas sur les miennes. (Le problème, avec les saints, c'est qu'ils ne peuvent pas l'être vingt-quatre heures sur vingt-quatre.)

Cela fait, je descends à l'étage des bricolos où je trouve Théo occupé à faire les poches de ses vieux, comme tous les soirs. Ils attendent sagement, en file indienne. Pas un ne proteste quand Théo extrait des blouses grises les objets fauchés dans la journée.

— Salut, Ben, tu bosses même pendant ton jour de congé, maintenant ? C'est Sainclair qui va être content !

Je lui fais cadeau des photos prises par Clara au Bois, et je l'aide à replacer la marchandise chipée.

— Tu te rends compte, il y en a un qui s'est trimbalé toute la journée avec cinq kilos de désherbant dans les deux poches de sa blouse !

19

Tante Julia et Clara commencent leur reportage sur le Bouc Emissaire la semaine suivante. De mon côté, j'y mets le paquet. Le comble dans le veule, le geignard, la serpillière suicidaire, Pas un seul client ne maintient sa plainte. Tout juste s'ils ne me signent pas des chèques. Ils arrivent gonflés à bloc de légitime indignation et repartent, persuadés, quoi qu'ils aient vécu, vivent ou vivront, d'avoir, ce jour-là, côtoyé le pire : le malheur fait homme — comme dans un conte d'Hoffmann remis au goût du jour. Et, à chaque étape de leur parcours initiatique dans le Magasin, ils croisent l'objectif de Clara. Clara qui saisit leur rage quand ils se propulsent vers le bureau de Lehmann, Clara qui fixe toutes les phases de leur transformation à l'intérieur dudit bureau, Clara qui éternise l'expression d'authentique humanité qui les transfigure à la sortie, Clara, encore, qui nous photographie, Lehmann et moi, rigolant comme deux beaux salauds que nous sommes, une fois la farce jouée, Clara, enfin, *dont je ne vois jamais l'appareil* !

Tante Julia, qui a d'abord passé quelques jours à

m'observer dans l'exercice de mes fonctions, ne travaille bientôt plus que sur les photos de ma petite sœur. Elles lui sont une réalité plus parlante que la réalité même. Elle noircit des tonnes de notes au fur et à mesure que tombent les clichés. Elle n'adresse la parole à Clara qu'avec un curieux mélange de maternité émue et de stupeur professionnelle. Elle l'a adoptée, comme une fille spirituelle enfantée par ses plus hautes ambitions.

Le soir, elles sont désormais deux à prendre des notes pendant que je sers aux enfants leur ration de fiction : Thérèse, sur sa machine à épingler les mots, et tante Julia, sur son calepin d'écolière. Les photos prises par Clara à la maison sont un peu moins bonnes.

— C'est que j'ai l'esprit ailleurs, tante Julia, j'écoute les histoires de Ben.

Pendant ce temps des tuyaux poussent, chaque jour plus nombreux au corps de Julius. Certains y pénètrent, d'autres en sortent : flotte, plasma, vitamines, sang de bœuf, d'un côté, urine et merde de l'autre. Comme promis, Laurent fait son possible. Julius s'en fout. Il continue de tirer la langue au monde, avec une obstination métaphysique, les babines retroussées autour de ses crocs meurtriers. Parfois, la nuit, j'ai l'impression de partager ma chambre avec une araignée d'Apocalypse, surtout les nuits de pleine lune, quand la blanche lumière vient étirer l'ombre cassée de ses pattes filiformes.

— Combien de temps crois-tu qu'il pourra tenir ?

— Je n'en sais rien, répond Laurent, apparemment, il est parti pour battre tous les records.

Et puis voilà que la masse de poils inerte se met à tressauter de temps à autre, suscitant un cliquetis de flacons, imprimant à l'ombre des tubes un mouvement ondulatoire qui court sur les murs de ma chambre. C'est que nous lui avons offert un matelas spasmodique, destiné à prévenir la formation des escarres.

Aux enfants, qui s'inquiètent de ne pas voir revenir Julius, je raconte qu'il est guéri, mais que le directeur de la clinique a demandé à le garder quelque temps près de lui pour qu'il apprenne à son propre chien les petits trucs de sa vie canine : ouvrir et refermer les portes, pactiser avec les bons et se méfier des méchants, aller chercher les enfants à l'école et les ramener par le métro les jours de pluie.

Louna, qui s'est installée chez nous depuis le départ de Laurent, écoute mes bobards avec un air d'ingénuité émerveillée que je connais bien pour l'avoir vu si souvent au visage de notre maman commune : ce n'est plus elle qui écoute, c'est déjà le petit locataire qui prospère sous sa laine.

Côté boulot, Sainclair, qui de nouveau m'a fait convoquer, mais dans son bureau personnel cette fois (« Un whisky ? » « Un cigare ? ») se félicite (on n'est jamais mieux félicité que par soi-même) du zèle tout rénové que je mets à mon travail. Chiffres à l'appui, il me révèle les économies que j'ai fait réaliser au Magasin en quinze jours seulement. Appréciables.

— Mais une chose me tracasse, monsieur Malaussène : pour vous acquitter si parfaitement d'une tâche aussi ingrate, quel est votre secret ? Une philosophie personnelle ?

— Le salaire, patron, la philosophie du gros salaire.

Salaire qu'il me double séance tenante, avec un sourire d'une infinie distinction. (Tu ne perds rien pour attendre, cher bienfaiteur...)

Quant à Lehmann, il n'en revient pas de ma toute nouvelle complicité. C'est la première fois qu'il *communique*, Lehmann. J'ai toutes les peines du monde à refouler ses invitations à dîner, et les autres. « Je connais une boîte, je te dis pas, une bande de suceuses comme t'en as jamais vu ! » Copains, quoi. Il me demande qui est Clara avec laquelle il me voit bavarder dans les moments creux.

— C'est ma sœur, elle veut être vendeuse, je lui apprends le métier.

— J'avais une fille qui lui ressemblait, elle est morte.

Quelque chose, en lui, s'est mis à trembler. Il détourne la tête. (Eh ! merde, si même les salauds ne peuvent pas être parfaits...)

Théo, qui n'est ni Sainclair, ni Lehmann, ne dit rien d'abord, puis, n'y tenant plus, dit :

— Qu'est-ce que c'est que ce zèle, Ben ? Quelle arnaque tu nous prépares ?

— Est-ce que je te demande pourquoi tu te photomatones ?

— Non, mais je te le dis, moi !

Du plus loin qu'il m'aperçoit, Cazeneuve joue les transparences. Et plus je m'enfonce dans la combine, plus je le soupçonne, lui, de faire enfin son métier honnêtement !

Pour Lecyfre, ce qui se murmurait depuis longtemps est aujourd'hui très clair :

— Tu es la bête du patronat, Malaussène, je l'ai toujours pensé, maintenant, je le renifle.

Perspicacité olfactive qui explique les récents succès de son Parti aux élections municipales (Soixante villes paumées.) Il n'en prépare pas moins avec ardeur la manif C.G.T. du 17 mars, interne au Magasin (un rite bi-annuel, son parti ayant le sens de la messe) pour le respect des conventions collectives.

— Et n'essaye pas de nous foutre des bâtons dans les roues, Malaussène !

Quoi encore ? Ah ! oui, mes crises de surdité. L'aiguille de feu me vide encore deux fois les oreilles, comme de vulgaires escargots. Le même phénomène se reproduit alors ; je vois le Magasin avec une netteté sous-marine : sourires muets des vendeuses vendant leur vie, jambes lourdes, caisses enregistreuses qui coincent, discrètes crises de nerfs, clientèle à besoin se créant des envies, jubilation devant la profusion des choses, débit, débit, débit, chapardeurs de tous poils, riches, pauvres, jeunes, vieux, mâles, femelles, sans parler des petits vieux de Théo qui mènent partout leur vie frénétique de fourmis autogérées. Incroyable ce qu'ils peuvent enfouir dans les profondeurs de leurs poches ! Et ce qu'ils *construisent*, à l'étage bricolage, mine de rien, sous l'œil blasé des vendeurs ! Une cathédrale de boulons et d'écrous. Sans rire, j'en ai repéré un qui monte une cathédrale de boulons et d'écrous ! Chartres, je crois. Pas grandeur nature, mais presque. Quand il lui manque le filetage correct, il se dirige à pas mesurés vers le rayon ad hoc, fauche la pièce et revient, du même petit pas d'éternité. Le facteur Cheval. Il a installé son chantier néo-médiéval au pied d'un escalator. Trop préoccupés par ce qu'ils viennent acheter, les clients qui arrivent ne le remarquent pas ; trop pressés d'essayer leur nouveau matériel, ceux qui partent ne le remarquent pas davantage. Lui-même ne remarque ni les uns ni les autres. Doux autisme de la bricole qui fait l'homme pacifique et rend la femme disponible.

L'une de ces crises de surdité me saisit une nuit, en pleine partie d'échecs avec Stojil. (Autorisation écrite de Sainclair, s'il vous plaît !) Alors qu'il dominait sur tous les fronts, je retourne la situation et le ratatine en deux coups de cuiller à pot. Il a beau me faire le coup de l'échiquier flou, que dalle, écrasé ! Avec cette sauvage brutalité que revêtent les victoires indiscutables à ce jeu subtil.

20

Le 17 mars, jour J de la manifestation bi-annuelle pour le respect des conventions collectives, Théo a revêtu un costume d'alpaga perle. Quant à la fleur qu'il plantera à sa boutonnière, il a choisi un iris bleu tacheté de jaune. Mais ce n'est pas pour le cortège de Lecyfre que Théo se pare...

Comme je suis en train de pleurer toutes mes larmes de crocodile chez Lehmann (une gazinière à fuites qui a failli éterniser une famille nombreuse), je vois mon Théo sautiller devant son photomaton comme devant une porte de chiottes.

En sortant tout chamboulé du bureau de Lehmann, le couple de clients croise un petit vieillard à blouse grise qui vient tapoter l'épaule de Théo. Lehmann me désigne la scène d'un menton méprisant. Le vieux tend à Théo une construction de métal cuivré d'une certaine complexité. Théo l'envoie sèchement promener. Le vieux se réfugie en pleurnichant dans la librairie voisine. Lehmann ricanerait volontiers, mais le téléphone lui annonce le passage imminent de la manif intra-muros à son étage. Lehmann étouffe un juron.

Je sors.

Dès qu'il me voit, Théo s'écrie :

— Tu peux me dire ce qu'il fout, ce branleur, depuis cinq minutes, à l'intérieur de la cabine ?

Suffisamment fort pour que le « branleur » du photomaton entende, derrière le rideau tiré.

— Il est comme toi, Théo, il se fait une beauté.

— Il n'a qu'à s'arranger avant, nom de Dieu, si toutefois il y a quelque chose à arranger !

C'est vrai, Théo, lui, est toujours prêt avant. Il a élevé le photomaton au rang d'un art. Il supporte d'autant plus mal l'attente derrière les usagers qui utilisent l'appareil comme un vulgaire duplicateur.

Le petit vieux revient à la charge. Très pitoyable, le regard. Très graisseuse, la main suppliante qu'il se propose de poser sur le bras de Théo.

— Pour l'amour du ciel, Ben, débarrasse-moi de ce tas de cambouis !

J'entraîne doucement le vieillard vers la librairie où il me désigne, posé sur un luxueux ouvrage d'armes anciennes, l'objet de son désarroi. C'est un assemblage de quatre robinets de cuivre, reliés à leur base par une tumeur d'écrous tout ce qu'il y a de maligne.

— Ça grippe, monsieur Malaussène.

Il y a du lyrisme, dans cette robinetterie. Mais le vieux a la tremblote, il a dû fausser deux ou trois pas de vis. D'où l'excès d'huile pour tenter la « décrispation ». La couverture du beau livre est maculée d'auréoles brunes. (N'avaient qu'à nettoyer leurs armes, avant de les photographier...) Ce soir, Théo éliminera discrètement les cadavres — livre et robinets. Pour l'instant, il est occupé. Ce que j'explique le plus doucement possible à l'enfantin vieillard avant de m'enfoncer dans le labyrinthe des bibliothèques à la recherche de M. Risson, le libraire. Il est très âgé aussi, M. Risson, l'âge de la littérature, au moins. C'est un grand vieillard froid qui m'a à la bonne, sous prétexte que je sais lire. Le grand-père dont j'ai quelquefois rêvé quand l'enfance se faisait longue. Le voilà, M. Risson. Il me trouve les yeux fermés ce que je lui demande : la réédition en collection de poche de ce bon vieux Gadda : L'AFFREUX PASTIS DE LA RUE DES MERLES. N'ayant rien de plus beau à espérer, je me plonge dans les délices de la première page. Que je connais par cœur.

« *Etourdissant d'ubiquité, omniprésent à chaque ténébreuse affaire. Tous désormais l'appelaient don Ciccio, de son vrai nom Francesco Ingravallo, détaché à la* « *mobile* », *un des plus jeunes fonctionnaires du bureau des enquêtes, et des plus jalousés, Dieu sait pourquoi !* »

Mais un brouhaha m'arrache au bonheur.

Lecyfre, drainant les manifestants depuis le sous-sol, traverse l'étage, où il fait une nouvelle moisson de vendeuses avant de gagner les altitudes. Les organisateurs tentent de rythmer rires et bavardages à la cadence des slogans inaliénables. C'est bon enfant, c'est scoutocrate, c'est rituel. Ça ne monte pas de la Bastille au Père-Lachaise en passant par la République, mais des sanitaires d'en bas aux tapis persans d'en haut en passant sous le nez de Lehmann qui rêve extermination de masse, calfeutré dans sa verrière. Ce qui me surprend, cette fois-ci, c'est que Cazeneuve se soit joint à la colonne montante.

D'ordinaire, il s'abstient dans un ricanement affranchi. Mais aujourd'hui, il est là. Même qu'en passant devant moi (qui lève stupidement les yeux de mon livre, pardon Gadda) il me lance un regard chargé de tout le mépris des consciences militantes. C'est la première fois qu'il me regarde depuis des semaines. Lecyfre me demande dans un éclat de rire pourquoi je ne me joins pas, et le plus grand nombre des jeunes femmes qui le suivent de se fendre mêmement la pêche. Drôles de rires sous des regards qui jugent. Est-ce la contrariété ? Le besoin de débrancher ? L'épée de feu me traverse une nouvelle fois le crâne et je n'entends plus rien. Mais je vois tout, les regards chargés, les rires muets, Théo qui piétine au loin en adaptant l'iris bleu à sa boutonnière, le petit vieux qui tripote ses robinets, Lecyfre qui vient de racoler une caissière, ventrue d'être restée sa vie assise, Cazeneuve gracieusement penché sur le corsage de sa voisine, l'effacement des clients circonspects, et la cabine de photomaton qui explose.

Une explosion qui débouche mes deux oreilles. Toutes tôles disjointes pour un dixième de seconde, geysers de fumée par les fentes, le rideau de tissu giflant l'espace, projections sanglantes par cette porte un instant ouverte, puis tout retrouvant sa place, la cabine demeurant là, debout, silencieuse, immobile et fumante, une demi-jambe dépassant sous le rideau retombé, avec un pied au bout, un pied qui tressaute, frémit une dernière fois, et meurt. Une odeur extraordinairement acide investit tous les poumons de l'étage. La manif devient une vraie manif, totalement sauvage et bordélique. Théo, qui est resté un instant debout devant la cabine, se précipite à l'intérieur. Le rideau couvre la moitié de son corps, puis Théo ressort, face à moi, moi qui me rue vers lui. Son costume d'alpaga tout entier, son visage, ses mains, sont constellés de minuscules taches de sang. Il y en a tant et si rapprochées, qu'on le croirait nu, couvert d'une peau monstrueusement rousse. Avant que je lui demande quoi que ce soit, il fait le geste de m'arrêter :

— N'entre pas là-dedans, Ben, c'est assez inesthétique.

(Merci, je n'ai aucune envie de me farcir la vision d'un troisième cadavre.)

— Mais toi, Théo, toi ?

— Moi, ça va plutôt mieux que lui.

Une goutte de sang perle sur sa lèvre supérieure, tremble, et tombe au cœur de l'iris bleu tacheté de jaune.

— J'ai toujours pensé que l'iris avait une vocation carnivore.

Le plus surprenant, c'est la suite. La manif un instant éparpillée, comme soufflée par le vent de l'explosion, s'est reconstituée à l'étage supérieur, ajoutant le thème de la Sécurité à celui des Conventions Collectives. Est-ce parce que le pétard était moins sonore que les deux précédents ? Est-ce parce que l'homme s'habitue ? La foule des clients n'a pas donné suite à son début de panique. Le Magasin ne ferme pas ses portes. Seul l'étage est condamné pour le reste de la journée.

Théo a été embarqué par les pompiers. J'irai ce soir chez lui vérifier s'il est complet.

On parle de l'explosion.

Puis on en parle moins.

Juste cette odeur dans l'air, qui double les effectifs de la clientèle.

L'après-midi, je suis encore appelé deux ou trois fois chez Lehmann qui a déménagé dans la cabine de Miss Hamilton, laquelle miss, si j'en juge par la qualité de son regard-sourire, a enfin compris la nature réelle de mon turbin et l'héroïsme que j'y déploie. Elle sait aussi l'estime où me tient Sainclair et la multiplication de mes petits pains par deux.

Trop tard, ma jolie. Fallait m'aimer quand j'étais un obscur. Enfin, à l'occasion, si j'y consens...

Puis, un appel de l'extérieur. Je m'enferme dans la cabine appropriée, (est-il bien prudent de s'enfermer dans les cabines par les temps qui courent ?) et je dis :

— Allô ?

— Ben ?

(Clara ! Clara, c'est toi, ma Clarinette ! Pourquoi donc aimé-je tant ta voix, me lover dans ta si paisible petite voix, sans jamais un accroc, ton doux tapis de billard où roule la précision de tes mots... Bon ça va, Benjamin, n'inceste pas ! Et puis, se lover dans un tapis de billard...)

— Ne t'inquiète pas, ma chérie, je n'ai rien, c'était une toute petite explosion, cette fois-ci, et j'avais mon armure, je ne me trimballe jamais sans, tu sais, je l'enlève juste pour rentrer à la maison et vous serrer dans mes bras. Une petite explosion de rien du tout, vraiment !

— Quelle explosion ?

Silence. (Ce n'est pas pour l'explosion qu'elle m'appelle ? Ah ! bon.)

— J'ai une bonne nouvelle à t'annoncer, Ben.

— Maman a téléphoné ?

— Non, maman doit s'habituer aux bombes.

— Vous avez fini le papier de Tante Julia ?

— Oh ! non, on en a pour un bout de temps encore !

— Jérémy n'est pas collé cette semaine ?

— Si, quatre heures samedi, pagaille en musique.

— Thérèse s'est convertie au rationalisme ?

— Elle vient de me tirer les cartes.

— Les cartes disent que tu auras la moyenne à ton bac de français ?

— Les cartes disent que je suis amoureuse de mon frère aîné, mais que je dois me méfier d'une rivale, journaliste au journal *Actuel.*

— Le Petit ne rêve plus d'ogres Noël ?

— Il a trouvé dans mon Robert la reproduction de Goya : *Neptune dévorant ses enfants*, ça lui plaît beaucoup.

— Louna fait une grossesse nerveuse ?

— Elle revient de l'échographie.

— Mâle ou femelle ?

— Jumeaux.

Silence.

— Clara, c'est ça, ta bonne nouvelle ?

— Ben, Julius est guéri.

Julius est guéri ? Julius est guéri ! Non, Julius est guéri ? Guéri ! Julius ! Oui, Julius est guéri. Il a même créé une certaine sensation, ce matin, dans l'immeuble, en descendant les cinq étages : il traînait derrière lui une sarabande de flacons qui se brisaient sur les marches, les uns après les autres, les sacs de déjections crevés répandant ce qu'ils avaient à répandre, et lui donnant, au bout de leurs tuyaux translucides, une allure de sanglier fou cherchant à fuir une attaque de méduses. Panique en la demeure. Tous les locataires enfermés chez eux à double tour, et toutes les puanteurs juliennes s'en donnant à cœur joie du haut en bas de la cage d'escalier.

— Je lui donnerais bien un bain, mais c'est peut-être un peu tôt, non ?

— Plus tard, le bain, Clara, plus tard, raconte la suite !

— Il n'y a pas de suite, il est guéri, c'est tout. Il a bu et mangé comme s'il venait de faire une promenade un peu longue, et il s'est couché sous le lit du Petit, comme d'habitude à cette heure-là.

— Tu as fait venir Laurent ?

— Oui.

— Qu'est-ce qu'il a dit ?

— Que Julius était guéri.

— Aucune séquelle ?

— Aucune. Ah ! si, une petite chose, tout de même.

— Quoi ?

— Il continue de tirer la langue.

21

Et rebelote. Je reçois le coup de plein flanc. Pas le temps de reprendre mon souffle qu'une autre attaque, frontale, celle-là, m'envoie au tapis. Je n'ai plus qu'à me mettre en boule, me rassembler au maximum, laisser pleuvoir, attendre que ça passe tout en sachant que ça ne passera pas. Et ça ne passe pas. Et ce n'est pas une partie d'échecs.

CE N'EST PAS UNE PARTIE D'ÉCHECS, BORDEL!

Ce hurlement muet me catapulte sur mes pieds. Il y a le cri de surprise de celui qui me maintenait au sol et qui roule sur le trottoir, puis la vision bien nette de Cazeneuve, debout devant moi, armant son pied pour me balancer un nouveau coup de latte dans les côtes. Fâcheuse ouverture entre ses jambes où s'écrase mon propre pied, provoquant un hurlement de dingo à réveiller tout l'hémisphère austral. Plus de Cazeneuve, mais un coup sur la nuque me précipite en avant, bras ouverts, étreignant comme le salut un autre corps qui bascule sous la poussée. A nouveau le trottoir, mais cette fois-ci ma chute amortie par l'épaisseur de l'autre, en dessous, l'autre que je frappe à l'aveuglette, visage, côtes, estomac, et qui hurle au secours, merde, cette voix, merde de merde, c'est une femme ! la surprise me fait redresser la tête, juste pour voir la trajectoire du pied qui me chope en pleine bouche et m'envoie rouler au diable. Le diable, cette nuit, est armé d'un sacré gourdin, qui s'abat sur mon épaule d'abord, me rate la deuxième fois car je roule sur moi-même, donnant à mes jambes de violents mouvements de ciseaux pour faucher le plus loin possible autour de moi.

Hurlements de tibias, bruit mou d'une grosse chute, piaillements divers, et de nouveau le bâton du diable, qui ne me rate pas, cette fois, explosion de mon pauvre crâne, adieu la vie, adieu le jour, adieu la nuit, même cette foutue nuit de merde, adieu...

« *Etourdissant d'ubiquité, omniprésent à chaque ténébreuse affaire...* »

Si le paradis, ou si l'enfer, ou si le néant, c'est retrouver Carlo Emilio Gadda, vivent le néant, le paradis et l'enfer !

— Elisabeth, un peu de café, je vous prie.

Oui, l'inspecteur Ingravallo (mais pourquoi diable l'appelait-on don Ciccio ?) tombé en service commandé sur le trottoir de la rue des Merles, a bien besoin d'un petit café.

— Je crois qu'il nous revient tout doucement.

Oh ! doucement, s'il vous plaît, tout doucement revenir, le plus doucement possible, je viens de faire la connaissance de la Douleur. Carlo, ne m'abandonne pas, ne me laisse pas remonter, Carlo Emilio, je ne veux pas te quitter !

— Que dit-il ?

— Il dit qu'il ne veut pas quitter un certain Carlo Emilio Gadda, et franchement, je le comprends.

— Un Italien ?

— Le plus italien de tous, Elisabeth, doucement avec le café, vous allez l'étouffer.

L'inspecteur Ingravallo trempait sa plume dans le capuccino, d'où la tranquille nervosité de sa langue...

— Polydialectale, cette langue, oui, il est regrettable que nous n'ayons pas l'équivalent dans notre littérature.

Il faudra que je le lise aux enfants, même s'ils n'y comprennent rien, il faut aussi que je prépare Clara au bac — pas à la vie, elle le fait elle-même — au bac.

— Cette fois, je crois qu'il émerge, aidez-moi, nous allons l'asseoir.

Comment asseoir un accordéon de douleurs ? Julius tout d'une pièce et moi en quatre-vingt mille morceaux ! Comment asseoir quatre-vingt mille morceaux ?

— Doucement, Elisabeth, passez-moi donc un autre coussin...

Mais Julius est guéri ? JULIUS EST GUÉRI !

— Qui est donc ce Julius, monsieur Malaussène ? Gadda, je connais, mais Julius...

La question du commissaire Coudrier, même souriante, appelle une réponse qui tombera dans ses dossiers.

— C'est mon chien, il est guéri.

Les divans Récamier ne font pas les civières les plus confortables.

— Tenez, prenez encore un peu de café. Je n'ai aucune notion de médecine, mais j'ai une confiance absolue dans le café d'Elisabeth. Elisabeth, aidez-le, je vous prie.

Oui, aidez-moi, Elisabeth, je suis assis sur mes os.

— Voilà.

(Oualà, oualà, oualà...)

— Pourquoi les divans Récamier sont-ils si durs ?

— Parce que les conquérants perdent leur empire quand ils s'endorment sur des sofas, monsieur Malaussène.

— Ils le perdent de toute façon, le sofa du temps...

— On dirait que vous allez mieux.

Je tourne la tête vers le commissaire Coudrier, assis à mon chevet, je lève ma tête en direction d'Elisabeth, penchée sur moi, la tasse de café à la main (la petite tasse cerclée d'or et son N impérial), je baisse la tête vers mes pieds, tout là-bas. Ma tête se lève et se baisse, je vais mieux.

— Nous allons pouvoir parler.

Parlons.

— Avez-vous une petite idée de ce qui vous est arrivé ?

— Le Magasin m'est tombé dessus.

— Et pour quelle raison, selon vous ?

Pour quelle raison ? Inimitié injustifiée de Cazeneuve ? Il n'était pas seul. Et il y avait au moins une femme dans le tas. (Une femme sur qui j'ai cogné, doux Jésus !) Pourquoi ? Parce que je ne manifeste pas ? Non, nous ne sommes ni aux zussas ni en nursse. C'est d'ailleurs pour ça que je ne me trouve pas d'occasion de manifester. Pour quelle raison me sont-ils tombés dessus ?

— Je ne sais pas.

— Moi, si.

Le commissaire Coudrier se dresse dans la verte lumière de son bureau.

— Je vous remercie, Elisabeth.

Remerciée, Elisabeth. La porte se referme. Plus de café. Debout devant sa bibliothèque, le commissaire Coudrier récite :

— « Etourdissant d'ubiquité, omniprésent à chaque ténébreuse affaire... »

— Gadda.

— Gadda *et vous*, monsieur Malaussène. Vous étiez présent sur les lieux de la première explosion, de la deuxième et de la troisième. Il n'en faut pas plus pour monter quelques bourrichons.

C'est vrai. Mais si je me souviens bien, Cazeneuve aussi était présent, les trois fois. Je le dis ou je ne le dis pas ? Tant pis pour Cazeneuve, je le dis.

— En effet, répond le commissaire, mais lui n'assistait pas à la conférence du professeur Léonard.

Crâne d'obus ? Qu'est-ce qu'il vient faire là-dedans, Crâne d'obus ?

— C'est la victime du jour.

Ah ! bon.

— Que faisiez-vous à cette conférence ?

Mouiller Cazeneuve, d'accord, mais pas tante Julia (encore que, s'ils m'ont vu, ils m'ont forcément vu avec elle.)

— J'ai une sœur enceinte, et qui se demande si...

— Je comprends.

Ce qui ne veut pas dire qu'il approuve. Ni que la réponse lui suffise. Histoire de voir comment je fonctionne, j'essaie la position assise. Ouh-là ! Raide comme Julius au temps de sa raideur. (Julius est guéri !)

— Vous avez deux côtes fêlées. On vous a bandé.

— Et le crâne ?

— Bosselé, sans plus.

(Sans plus.)

Il fait le tour de son bureau, il s'assoit, il allume sa lampe. Comme j'ai une grimace d'éblouissement, il en baisse l'intensité. Que je sache, avec le téléphone, c'est la seule concession à la modernité dans le bureau, cette lampe à rhéostat. Il gratouille le derrière de son oreille, l'aile de son nez, croise enfin ses doigts devant lui, et dit :

— Vous faites un curieux métier, monsieur Malaussène, qui attire nécessairement les coups, tôt ou tard.

(Tiens, contrairement à ce qu'affirmait Sainclair, il l'a donc crue, mon histoire de Bouc Emissaire !)

Suit la question la plus stupéfiante qu'un prévenu, à supposer que je sois prévenu, ait jamais entendu sortir de la bouche d'un flic.

— Est-ce vous qui faites sauter ces bombes, monsieur Malaussène ?

— Non.

— Savez-vous qui c'est ?

— Non.

Nouveau grattage de nez, nouveau croisement de doigts, et seconde occasion de surprise :

— Bien que je n'aie pas à vous communiquer mes conclusions personnelles, sachez que je vous crois.

(Ça vaut mieux pour mézigue.)

— Mais sur votre lieu de travail, un bon nombre de vos collègues pensent que c'est vous.

— Dont ceux qui me sont tombés dessus, ce soir ?

— Entre autres.

Le mouvement de ses sourcils m'indique qu'il va tâcher de bien se faire comprendre.

— Voyez-vous, le Bouc Emissaire n'est pas seulement celui qui, le cas échéant, paye pour les autres. Il est surtout, et avant tout, *un principe d'explication*, monsieur Malaussène.

(Je suis un « principe d'explication » ?)

— Il est la cause mystérieuse mais *patente* de tout événement inexplicable.

(Et par-dessus le marché, me voilà une « cause patente » !)

— D'où l'explication des massacres de juifs durant les grandes pestes du Moyen Age.

(Mais nous ne sommes plus au Middle Age, non ?)

— Pour certains de vos collègues, en tant que Bouc Emissaire, vous êtes le poseur de bombes, pour la seule raison qu'ils ont *besoin* d'une cause, que cela les rassure.

(Pas moi.)

— Ils n'ont aucun besoin de preuves. Leur conviction leur suffit. Et ils recommenceront si je n'y mets pas bon ordre.

(Mettez-y bon ordre !)

— Bien, parlons d'autre chose.

Nous avons parlé d'autre chose. De moi. Sous toutes les coutures. Pourquoi ne pas avoir convenablement négocié ma licence en Droit ? (Il est une des rares personnes au monde à savoir que je suis l'honoré propriétaire de ce papelard.) Pourquoi ? Eh bien, je ne sais pas trop pourquoi. L'adolescente trouille de l'installation, probablement, de l' « intégration au système », comme on disait à l'époque, bien que je n'aie jamais trop mordu à ce genre de salades. Banalité, quoi.

— Avez-vous jamais milité dans une organisation quelconque ?

Ni dans une quelconque ni dans une distinguée. Du temps où j'avais des amis, ils le faisaient à ma place, troquant l'amitié pour la solidarité, le flipper pour la ronéo, les soirées zexquises pour les permanences responsables, le clair de lune pour l'éclat du pavé, Gadda pour Gramci. Savoir qui d'eux ou de moi avait raison est une question qui dépasse tous ceux qui lui donnent une réponse. Et puis de toute façon, moi, j'avais déjà ma mère en cavale, les gosses à la maison, Louna et ses premières amours, Thérèse qui faisait la nuit des cauchemars à réveiller Belleville, et Clara qui mettait deux heures pour rentrer de la maternelle située à trois cents mètres. (« Ze regarde, Ben, ze m'amuse à regarder. » Déjà.)

— Votre père ?

Un des mecs de ma mère. Le premier. Elle avait quatorze ans. Jamais vu : pleurez, commissaire. Il ne pleure pas, il range, il classe, il n'oubliera rien.

Puis vient l'épineuse question de tante Julia et de ce qu'elle « représente » pour moi. Au fait, que « représente »-t-elle ? En dehors de cette séance de radicale auto-critique sexuelle. Et de ce papier qu'elle prépare — mais ça ne le regarde pas.

— Un peu tôt pour répondre à cette question.

— Ou un peu tard.

Là, il remonte d'un cran le rhéostat de sa lampe pour que je mesure bien tout le sérieux qu'il vient d'installer sur son visage.

— Méfiez-vous de cette dame, monsieur Malaussène, ne vous laissez pas entraîner à quelque... (réflexion)... à quelque collaboration que vous pourriez regretter.

(Qui ne dit mot, ne dit mot.)

— Les journalistes ont le prurit de la spontanéité, sans le souci de ses conséquences. Nous, nous savons que la spontanéité, ça s'éduque.

— Nous ? Pourquoi *nous* ?

(Ça m'a échappé.)

— Vous êtes chef de famille, non ? Par conséquent éducateur ? Moi aussi, à ma façon.

Sur quoi, il me livre pour la seconde fois ses conclusions. Bien, il ne pense pas que je sois le bombardier. Le fait est, néanmoins, que les bombes explosent partout où je passe. Donc, quelqu'un cherche à me faire porter le chapeau. Qui ? Mystère. Ce n'est d'ailleurs qu'une simple hypothèse. Hypothèse qui se révélera juste, à l'occasion, ou fausse.

— Quelle occasion ?

— L'explosion de la prochaine bombe, monsieur Malaussène !

Bravo. Et si la prochaine fait tout sauter ? Question ingénue. Que je pose.

— Nos laboratoires ne le pensent pas ; moi non plus.

Fin de l'interrogatoire sur quelques suggestions du commissaire divisionnaire Coudrier. Qui sont des ordres : je prends deux ou trois jours de congé pour me ressouder, puis je retourne au Magasin. Je ne change rien à mes habitudes ni à mes itinéraires. Deux spécialistes de l'observation me suivront des yeux du matin au soir. Toutes les personnes qui m'approcheront seront définitivement photographiées par ces caméras vivantes. Ces deux flics seront le guidon, en quelque sorte, et moi le point de mire. Voilà. Est-ce que j'accepte ? Va savoir pourquoi, j'accepte.

— Bien, je vais vous faire raccompagner chez vous.

Il appuie sur un petit bouton (nouvelle concession à la modernité) et demande à Elisabeth de bien vouloir faire monter l'inspecteur Caregga. (Tiens, café turc !)

— Une dernière chose, monsieur Malaussène, la question de vos agresseurs. Ils vous auraient tué si un de mes hommes ne s'était trouvé là. Voulez-vous porter plainte ? J'ai la liste ici.

Il sort de son sous-main un papier qu'il me tend. Furieuse envie de lire ce papelard. Envie démente de faire plonger cette bande d'abrutis. Mais, « vade retro Satanas », l'ange diaphane, en moi, répond « non », tout en se disant que les anges sont des cons.

— Comme vous voudrez. Quoi qu'il en soit, ils

auront à répondre du délit de tapage nocturne et devront affronter la direction du Magasin qui a été mise au courant.

Ce n'est pas ce qui me blindera les côtes.

22

Paris roupille et l'inspecteur Caregga conduit comme tous les flics du monde tapent à la machine : avec deux doigts. Et toujours hibernant dans son blouson à col fourré. Je lui demande s'il peut faire un crochet par chez Théo. Il crochète.

Je m'apprête à grimper les étages de mon pote quatre à quatre, mais ce sera un quart par un quart. Réanimation à chaque palier. J'atteins enfin sa porte, c'est pour y trouver épinglée une petite représentation photographique de mon Théo, ceint d'un tablier de ménagère orné d'un bouquet de quatre pâquerettes. Compris. Il n'est pas chez lui. Il est chez moi. Inquiets, les enfants ont dû l'appeler, et il est allé jouer les nounous.

Quand je le rejoins dans sa bagnole, l'inspecteur Caregga est au bord de la retraite. Pour le dédommager de cette légère attente, je me fais déposer au croisement de la Roquette et de la Folie-Régnault, à cinquante mètres de chez moi. Ça lui évitera le détour du boulevard. Merci beaucoup, il est de permanence ce soir, et assez pressé. Je m'extrais et traîne mes os vers les enfants. Les enfants... mes enfants. Petit coup de cœur qui, bizarrement, me fait penser au professeur Léonard. Alors comme ça, Léo le Nataliste est venu se faire assaisonner sur mon lieu de travail ! Il n'avait pas une tête à fréquenter les grandes surfaces, pourtant. Et moins encore à jouer du photomaton. Il était entièrement fait main, le professeur Léonard. Il pesait au bas mot deux ou trois bonnes briques de fringues, quand je l'ai vu à cette conférence. Sa chaussure droite n'avait pas dû être fabriquée par le même artisan que sa chaussure gauche, chacune étant l'œuvre d'une vie. Non, un type de cet acabit ne fréquente pas les Grands Magasins. S'il descend un jour dans le métropolitain, ce ne peut être que sous le coup d'une violente émotion. Ou pour s'acquitter d'un gage récolté au dernier rallye de sa fille.

(Bon Dieu, c'est si long que ça, cinquante mètres ?)

Léonard... le professeur Léonard... Ce n'était pas exactement la même farine que Sainclair, ça. La Tradition ne lui avait pas été enseignée, à lui. Il était né dans le sérail. Il avait têté les sacro-saintes valeurs au sein d'une vraie nourrice, garantie pure campagne. Probablement douze générations de médecins patentés derrière lui. Jadis médecin du roi, aujourd'hui président du Conseil de l'Ordre, qui sait ? Le haut du pavé médical depuis Diafoirus. Un tel homme, aller mourir victime du hasard, dans un lieu si public, en compagnie d'un garagiste de Courbevoie et d'un ingénieur des Ponts et Chaussées amoureux de sa jumelle ! Se commettre à ce point... la honte sur la famille ! On l'enterrera à la sauvette par une nuit sans lune.

(Ça ne fait vraiment que cinquante mètres ?)

Arrête ton char, Malaussène. Tu n'es qu'un merdaillon qui ne connaît rien à la Haute. Tu préjuges et tu gauchises. L' « adaptation », voilà leur unique recette. L' « adaptation », c'est tout le secret de leur pouvoir. Ça s'adapte. Ça accède à la Présidence en jouant de l'accordéon. Si ça ne prend pas le métro, c'est que ça descend les Champs Elysées à pied, en toute royale simplicité.

Loden vert par-dessus, Petit Bateau en dessous. L'adaptation...

Théo est effectivement à la maison. Et Clara. Et Thérèse. Et Jérémy. Et le Petit. Et Louna. Et son ventre. Et Julius. Qui me tire la langue. Les miens. A moi.

— Ben !

Il y a ce cri. Puis, plus rien d'autre. Cri de douleur poussé par une des frangines en me voyant. Laquelle ? Louna a plaqué ses deux mains contre sa bouche. Thérèse, assise derrière son bureau, me regarde comme si j'étais un revenant. (J'en suis un.) Et Clara, debout, laisse ses yeux se remplir de larmes. Puis sa main tâtonnant derrière elle, trouve le Leica qu'elle porte à son œil droit, FLASH ! voilà l'horreur endiguée, ma tronche assurée de ne pas atteindre les proportions d'*Elephant-man*.

C'est finalement Jérémy qui rétablit l'ordre naturel des choses en demandant :

— Dis voir, Ben, est-ce que tu pourrais me dire pourquoi cette saloperie de participe passé s'accorde avec ce connard de C.O.D. quand il est placé *avant* cet enfoiré d'auxiliaire être ?

— « Avoir », Jérémy, devant l'auxiliaire « avoir ».

— Si tu préfères. Théo est pas foutu de m'expliquer.

— Moi, la mécanique... fait Théo avec un geste évasif.

Et j'explique, j'explique la bonne vieille règle en déposant un paternel baiser sur chaque front. C'est que, voyez-vous, jadis, le participe s'accordait avec le C.O.D., que celui-ci fût placé avant *ou après* l'auxiliaire avoir. Mais les gens rataient si souvent l'accord quant il était placé après, que le législateur grammatical mua cette faute en règle. Voilà. C'est ainsi. Les langues évoluent dans le sens de la paresse. Oui, oui, « déplorable ».

— Ça s'est passé au pied de chez moi, Ben. Ils devaient se douter que tu viendrais prendre de mes nouvelles, et ils te sont tombés dessus à la porte de mon immeuble.

Je suis allongé sur mon lit. Julius, assis par terre, a posé sa tête sur mon ventre. Trois bons centimètres d'une langue flasque, chaude, (vivante !) reposent sur mon pyjama. Théo marche de long en large.

— Quand je suis arrivé à l'hosto, tout était fini. Un malabar de flic, fringué comme un aviateur de Normandie Niémen, te chargeait dans sa bagnole.

(Merci, inspecteur Caregga.)

— A mon avis, il te filait. Quand il t'a vu entrer chez moi, il a dû en profiter pour aller s'acheter un paquet de clopes, et quand il est revenu, les autres étaient déjà au boulot depuis un bon moment.

— Tu as vu qui c'était ?

— Rien du tout. Une ambulance emportait ceux de tes agresseurs que l'aviateur avait rétamés. M'est avis qu'il n'y est pas allé de main morte.

(Merci encore, Caregga.)

— Et toi, Théo, rien de cassé ?

— Un costard foutu.

Il s'arrête pile et se tourne vers moi.

— Je peux te poser une question, Ben ?

— Pose.

— Tu trempes dans cette histoire de bombes ?

Là, tout de même, ça me fait un petit quelque chose.

— Non.

— Dommage.

Mais c'est que je vais de surprise en surprise, moi, dans les dialogues de cette soirée !

— Parce que si c'était le cas, je ne serais pas loin de te considérer comme un héros national !

Allons bon, qu'est-ce qui lui prend ? Il ne va tout de même pas me faire le coup de la putride société de consommation, pas lui, pas à moi, pas à nos âges, pas avec notre boulot !

— Accouche, Théo, qu'est-ce que tu caches ?

Il s'approche, s'assied à côté de la tête de Julius, dont l'œil tourne (vivant, Julius !) et prend un air de confident shakespearien.

— Le mec qui s'est fait dessouder, dans le photomaton...

Murmure...

— Oui, Théo ?

— C'était un salaud de la pire espèce !

N'exagérons rien, l'espèce est assez répandue, et sa saloperie excusable puisqu'elle s'en fait un devoir.

— Tu le connaissais ?

— Non, mais je sais à quoi il occupait ses loisirs.

— A se branler dans les photomatons ?

Là, un éclair dans son œil.

— Tout juste, Ben.

Je ne vois pas ce que ça a de si monstrueux (ni de si agréable).

— En y contemplant des petits souvenirs.

Frémissante, sa voix, tout à coup. Frémissante d'une colère que je ne lui ai jamais connue.

— Allez, Théo, déballe !

Il se relève, ôte le tablier à pâquerettes, sort un portefeuille de la poche de sa veste, y prend ce qui me semble être une vieille photographie, et me la tend.

— Regarde ça.

C'est en effet une photo assez ancienne, massicotée façon Petit Lu, en noir et blanc. Mais très noire, alors ! Très noire. On y voit le corps athlétique du professeur Léonard, vingt ou trente ans plus tôt, nu des pieds jusqu'au sommet pointu de son crâne, debout, l'œil flamboyant, la gueule fendue par un rictus démoniaque, les bras tendus, immobilisant sur une table un autre corps...

— Oh ! non...

Je relève les yeux. Le visage de Théo ruisselle de larmes.

— Il est mort, Ben.

Je regarde de nouveau la photo. Quel instinct nous indique qu'une montre est arrêtée, fût-ce à l'heure juste ? L'enfant que le professeur Léonard maintient plaqué sur la table est mort, il n'y a pas de doute.

— Où as-tu trouvé ça ?

— Dans la cabine, il la tenait encore à la main.

Long silence, pendant lequel je regarde la photo de plus près. Il y a l'homme nu, ses muscles tendus, luisants comme des éclairs, (les reflets du flash sur la sueur, je suppose). Sur ce qui peut être une table, il y a la forme blanche de l'enfant, les jambes ballant dans le vide. Et, au pied de la table...

— Qu'est-ce que tu vois au pied de la table ?

Théo approche la photo de ma lampe de chevet et s'essuie les joues du revers de la main.

— Je ne sais pas, des vêtements, peut-être, des vêtements en tas.

Oui, un tas de quelque chose qui se dissout dans un camaïeu d'ombres de plus en plus profondes, jusqu'à cette obscurité vibrante d'où jaillit la blanche vision de l'enfant immolé.

— Pourquoi ne l'as-tu pas donnée à la police ?

— Pour qu'ils chopent le type qui a tué ce fumier ? Pas question !

— Mais c'est un hasard, Théo, ça aurait aussi bien pu être toi.

A peine ai-je prononcé cette phrase, que je n'y crois plus tout à fait.

— Mettons que je ne veux pas qu'on mette le hasard en prison, Ben.

— Laisse cette photo ici, ne trimballe pas ça sur toi.

Après le départ de Théo, la photo planquée dans le tiroir de ma table de nuit, je m'endors. Comme une pierre qui tombe. Quand j'atteins le fond, une espèce de gorille avec une gueule d'incinérateur se fait une fricassée de petits enfants qui frétillent dans une poêle. C'est alors que les ogres Noël font leur entrée. Les ogres Noël...

23

« IL A VU SA MORT EN FACE ! » hurle la une du journal le lendemain. Suivent quatre agrandissements de photomaton qui bouffent la page entière (Bon sang, c'est vrai qu'il fonctionnait, cet appareil !). Les quatre derniers gros plans du professeur Léonard.

L'homme est plus que chauve, cheveux rasés et sourcils épilés. Il a le front haut, lisse, les arcades accentuées, les oreilles pointues, la mâchoire forte sous des joues empâtées, le teint pâle mais c'est peut-être l'éclairage. (De nouveau l'impression d'avoir vu ce visage quelque part.) Sur la première photo, sa tête est légèrement rejetée en arrière, sa bouche droite et sans lèvres paraît une cicatrice au bas du visage. Sous les paupières lourdes, le regard est sombre, froid, totalement inexpressif, d'une profondeur inquiétante. L'ensemble est figé, non par un manque d'expression naturelle, mais par la volonté délibérée de ne rien exprimer. Sur la deuxième photo, tout ce puissant édifice de graisse et de muscles semble la proie d'un tremblement général, les paupières se soulèvent, révélant l'iris tout entier, transpercé par une pupille d'un noir absolu qui attire irrésistiblement le regard. Les lèvres ébauchent un rictus, le rictus creuse deux fossettes où s'effondre la masse des joues. Sur la troisième photo, le visage éclate. Les accents circonflexes des arcades se brisent, le front et le crâne sont secoués de vagues, les pupilles dévorent l'iris, la bouche partage le visage d'une crevasse diagonale, les joues sont comme aspirées, quelque chose qui ressemble à un dentier est projeté en avant, tout est flou. La dernière photographie est celle d'un mort. Du moins de sa partie visible. Il a dû se tasser sur le tabouret à pivot après l'explosion. On ne voit que l'orbite gauche, évidée et sanglante. Une partie de la peau du crâne est arrachée.

Ma tête à moi ne vaut guère mieux, entre les mains de Clara qui me soigne.

— Vas-y mollo avec les compresses, je me fais l'effet d'un artichaut au bain-marie.

— Elle sont à peine tièdes, Benjamin.

L'émotion est là quand ma petite sœur m'appelle Benjamin. C'est comme si elle étirait le prénom pour endiguer un trop-plein d'affection.

— Ils t'ont fait une sacrée tête, tu sais !

— Et encore, si tu voyais l'intérieur... Qu'est-ce que tu penses de ces quatre photos ?

Clara se penche sur le journal et me sort sa réponse, technique, précise, la réponse de son œil :

— Je pense que les journalistes écrivent n'importe quoi ; ce n'est pas sa mort que cet homme voit en face (d'ailleurs, on n'a jamais vu une bombe tuer en quatre temps), c'est autre chose, quelque chose qu'il tient au bout de son bras, juste au-dessous de l'objectif.

(Eh ! oui, ma Clarinette, oui, oui...)

— Cette espèce d'éclatement du visage s'est produit *avant* l'explosion, Ben.

(Oui, oui, oui.)

— Quant à son expression, ce n'est pas une expression de douleur, mais de plaisir.

Là, ma petite sœur, je la regarde un bon moment. Puis je bois une minuscule gorgée de café, que je laisse m'envahir doucement, avant de lui demander :

— Dis-moi, si tu voyais une photo terrible, bouleversante, quelque chose qu'on ne peut vraiment pas regarder longtemps, qu'est-ce que tu ferais ?

Elle se lève, met son gros Lagarde et Michard dans son sac, prend son casque de mobylette, m'embrasse avec précaution, et, sur le pas de la porte, juste avant de sortir, répond :

— Je ne sais pas, je suppose que je la photographierais.

C'est à cinq heures de l'après-midi, avec l'arrivée de Thérèse, que je comprends à quoi me faisait penser la belle gueule méphitique du professeur Léonard, ce sentiment de déjà vu...

— C'est lui, Ben, c'est lui, c'est lui !

Thérèse se tient debout devant Julius et moi, le journal à la main, toute tremblante. Sa voix vibre de cette ferveur effrayée qui annonce les grandes crises. Le plus doucement possible, je demande :

— Qui ça, lui ?

— *Lui !* hurle-t-elle en me tendant un livre qu'elle vient d'arracher à sa bibliothèque :

— Aleister Crowley !

(Ah ! oui, Aleister Crowley, le fameux mage anglais, grand copain de Belzébuth : Leamington 1875 — Hastings 1947, je connais...)

Le livre est ouvert sur une photographie qui est en tout point semblable à la première des quatre photos de Léonard. En tout cas, très ressemblante. Sous la photo, cette légende : *La Bête, 666, Aleister Crowley.*

Et, sur la page voisine, ce texte, aux relents sulfureux :

« *La seule loi est : Fay ce que voudras. Car chaque homme est une étoile. Mais la plupart ne le savent pas. Les athées les plus endurcis sont eux-mêmes des bâtards du christianisme. Le seul qui a osé dire : « Je suis Dieu » est mort fou, bercé par sa chère Maman armée d'un crucifix. Il s'appelait Friedrich Nietzsche. Les autres, les humanoïdes de notre xxe siècle, ont remplacé Jésus-Christ par Mammon, et les fêtes par les guerres mondiales. Ils ne sont pas peu fiers d'être tombés plus bas que leurs prédécesseurs. Après les sublimes avortons, les sordides avortons. Après le règne de l'humain trop humain, la dictature de l'infra-humain...* »

— Il n'est pas mort, Ben, il n'est pas mort, il s'est réincarné !

Ça y est, on est parti.

— Calme-toi, ma petite chérie, il est tout ce qu'il y a de plus mort, trucidé dans un photomaton.

— Non, il s'est une fois de plus effacé derrière les

apparences de la mort, pour mieux resurgir ailleurs et continuer son œuvre.

(La photo aux éclairs de chair morte me traverse la tête : « son œuvre » ! Je sens que je vais m'énerver.)

— Ben, regarde, il se faisait appeler « Léonard » !

Ici, son sang, sa voix, se retirent derrière une peur toute pâle. Le journal lui échappe des mains, comme dans un film, et elle répète :

— Léonard...

Julius tire la langue.

— Oui, il s'appelait Léonard, et alors ?

Ça y est, je m'énerve.

— Et alors, c'est le nom qu'on donnait au Diable par les nuits de sabbat. Le Diable, Ben ! Mammon ! Lucifer !

Ça y est, je suis hors de moi.

Je me lève posément, le livre de Crowley à la main, c'est un machin recouvert de maroquin vert frappé d'un signe d'or, genre bibliothèque de l'en-deçà (j'ai laissé Thérèse en empiler des tonnes sur ses étagères — « éducateur », tu parles !), je le déchire sans un mot et envoie valser les deux moitiés à travers l'appartement. Sur quoi, je prends ma pauvre Thérèse de frangine par les épaules, la secoue doucement d'abord, puis de plus en plus violemment, lui explique posément d'abord, puis de plus en plus hystériquement, que j'en ai ma dose de ses conneries astro-prévisionnelles et de ses sataneries de bazar, que je ne veux plus jamais l'en entendre parler, que c'est un exemple déplorable pour le Petit (« déplorable », oui, j'ai dit « déplorable »), que je lui flanquerai la rouste de sa vie si elle remettait ça une seule fois, *une seule fois*, tu m'entends bougre de conne !

Et, comme si ça ne suffisait pas, je me rue sur sa bibliothèque, balayant tout des deux mains : bouquins, grigris et statuettes de tous poils passent en sifflant au-dessus de Julius et finissent en explosion de plâtre polychrome contre les murs de la boutique, jusqu'à ce que la Yemanja des travelots elle-même rende son âme bahianaise aux pieds de Thérèse pétrifiée.

Puis je me retrouve dehors, avec mon chien. Dehors, dans la rue. Je marche comme un perdu vers l'école du Petit. Désir insensé de prendre le Petit dans mes bras, lui et ses lunettes roses, de lui raconter le plus joli conte du monde (malheur nulle part, ni au début ni à la fin) et je cherche en marchant (douceur partout, cueillie sans angoisse), et je ne trouve pas, putain de littérature de merde, réalisme à tous les étages, mort, nuit, ogres, fées putrides ! Les passants se retournent sur le dingue à tête bosselée accompagné du chien qui tire la langue. Mais ils n'en connaissent pas plus que moi, des contes idéaux, les passants ! Et ils s'en tapent ! Et ils rient du rire carnassier de l'ignorance, le rire féroce du mouton aux mille dents !

Et tout à coup la rage tombe. C'est qu'une toute petite chose ronde, louchant derrière ses lunettes roses, vient de me sauter dans les bras.

— Ben ! Ben ! La maîtresse, elle nous a appris une poésie très jolie !

(Enfin ! De l'air ! Vive la maîtresse !)

— Tu me la récites ?

Le Petit noue ses bras autour de mon cou, et me récite la poésie très jolie, comme récitent tous les petits, à la façon des pêcheurs de perles, sans respirer une seule fois.

Il était un petit navire
Où Ugolin mena ses fils,
Sous prétexte, le vieux vampire !
De les fair' voyager gratis.

Au bout de cinq à six semaines,
Les vivres vinrent à manquer,
Il dit : « vous mettez pas en peine ;
Mes fils m'ont jamais dégoûté ! »

On tira z'à la courte paille,
Formalité ! Raffinement !
Car cet homme, il n'avait d'entrailles
Qu' pour en calmer les tiraill'ments.

Et donc, stoïque et légendaire,
Ugolin mangea ses enfants,
Afin d' leur conserver un père...
Oh ! quand j'y song' mon cœur se fend.

Jules Laforgue.

Bon. Ça va. J'ai compris. Suffit pour aujourd'hui. Au pieu.

Et l'autre petit ravi qui me sourit, derrière ses lunettes roses.

Qui me sourit.

Derrière ses lunettes roses.

L'autre ravi.

Les enfants sont des cons. Comme les anges.

Je me mets au lit avec un quarante bien tassé. Black-out total. Interdiction à quiconque de venir me voir. Même Julius. Comme Clara insiste, je lui enjoins sèchement de consoler plutôt Thérèse.

— Thérèse ? Qu'est-ce qu'elle a ? Elle va très bien !

(Voilà. Ne jamais s'exagérer le mal qu'on peut faire aux autres. Leur laisser ce plaisir.)

— Clara ? Dis à ta sœur que je ne veux plus entendre parler de sa magie. Sauf si elle l'utilise pour me donner le prochain tiercé. Dans l'ordre !

Et c'est l'heure fiévreuse de l'autocritique. Qu'est-ce qui te prend, toi ? Tu laisses ton plus jeune frère dresser une cartographie détaillée de l'underground homo, l'autre saborde ses études, parle comme un charretier, et tu t'en fous ; tu pousses ton angélique frangine à photographier le pire du pire au lieu de préparer son bac, celle qui fricote avec les astres reçoit ta bénédiction depuis des années, tu n'es même pas fichu de donner un conseil à Louna, et voilà que tu t'offres tout à coup la grande crise morale du siècle, avec profil d'inquisiteur, massacre d'idoles et excommunication de l'humanité tout entière ! Qu'est-ce que c'est ? Qu'est-ce qui se passe ?

Je sais ce que c'est. Je sais ce qui se passe. Une

photo est entrée dans ma vie. Le méchant conte est devenu principe de réalité.

Les Ogres Noël...

C'est à la seconde où je fais cette importante découverte que s'ouvre la porte de ma chambre.

— Eh ?

Tante Julia se tient debout sur le seuil. Un sourire flotte. Je ne me lasserai jamais de décrire ses vêtements. Ce coup-ci, c'est une robe de laine écrue, tout d'une pièce, qui croise sur la plénitude de ses seins. Lourd sur lourd. Chaud sur chaud. Et cette densité si souple...

— Je peux ?

Elle se retrouve assise à mon chevet avant que j'aie pu donner mon avis.

— Bravo ! Ils t'ont bien arrangé, tes petits collègues !

Je sens ma Clara derrière cette présence, (« va donc voir là-haut si Benjamin ne meurt pas. »)

— Quelque chose de cassé ?

La main que Julia passe sur mon front est fraîche. Elle se brûle, mais ne la retire pas.

Je demande :

— Julia, qu'est-ce que tu penses des ogres ?

— A quel point de vue ? Mythologique ? Anthropologique ? Psychanalytique ? Thématique des contes ? Ou je te fais un cocktail du tout ?

Pas envie de rigoler.

— Arrête ton cirque, Julia, digère les concepts et dis-moi ce que *toi* tu penses des ogres.

Ses yeux paillettes réfléchissent une seconde, puis

un immense sourire m'offre le panorama de ses dents. Elle se penche soudain et, tout près de mon oreille, murmure :

— En espagnol, aimer se dit « comer ».

Un sein s'échappe de sa robe dans la brusquerie du geste. Et ma foi, puisqu'en espagnol aimer c'est manger...

24

— Monsieur Malaussène, j'ai tenu à vous parler en présence de vos collègues.

Sainclair désigne Lecyfre et Lehmann qui se tiennent bien droits de part et d'autre de son bureau.

— Afin que toutes les positions soient clairement affirmées.

Silence. (Tante Julia et moi venons de passer trois jours au lit. Pour moi, les positions sont lumineuses.)

— On a beau ne pas être du même bord, c'est pas une façon démocratique de régler les problèmes.

Lecyfre lâche cette mise au point avec toute la sympathie dont son antipathie est capable. (Les mains et les cheveux de Julia courent encore sur ma peau.)

— N'empêche que si je chope un de ces salauds...

Ça, c'est la voix vengeresse de Lehmann. (Dès que je reprenais consistance, elle perdait délicieusement la sienne.)

— C'est une agression inqualifiable, monsieur Malaussène, il est heureux que vous n'ayez pas porté plainte, sans quoi...

(« Que tu es belle ! que tu es belle ! O mon amour extasié... mon désir bondissait comme un char d'Haminabab ! »)

— Fort heureusement, je vois que vous êtes presque remis. Bien sûr, le visage est encore marqué...

(Trois jours. Voyons, trois jours multipliés par douze, ça donne trente-six. Au moins trente-six fois, oui !)

— Mais vous n'en serez que plus crédible aux yeux de la clientèle !

Cette dernière réflexion de Sainclair provoque le rire des deux autres. Je me réveille et m'associe. A tout hasard.

Donc, reprise du boulot après quatre jours d'arrêt maladie. Reprise du boulot sous l'œil des caméras humaines de Coudrier. Où que je sois dans ce foutu Magasin, je sens leurs yeux sur moi. Et moi, je ne les vois pas. Très agréable. Je passe mon temps à lancer des regards furtifs tous azimuts, que dalle. Ils connaissent leur boulot, ces deux-là. Dix fois dans la journée, j'emplafonne des clients en regardant derrière moi. Les gens râlent et je ramasse les paquets éparpillés. Puis « Monsieur Malaussène est demandé au bureau des Réclamations. » Monsieur Malaussène y va. Monsieur Malaussène fait son boulot en attendant avec une certaine impatience le jour de son renvoi : la parution du papier de Tante Julia qui prend du retard. En redescendant de chez Lehmann, je passe par la librairie où je dégote un exemplaire de la vie d'Aleister Crowley identique à celui que j'ai déchiré. Le vieux Risson me le vend après un long sermon désapprobateur. Je suis bien d'accord avec lui, ma pauvre Thérèse, ce n'est pas de la littérature mais ça ne fait rien, je vais tout de même réparer les dégâts, je demanderai aussi à Théo de t'apporter une nouvelle Yemanja.

(J'entends le rire de Julia : « Tu ne possèderas jamais rien en propre, Benjamin Malaussène, même pas tes colères. » Puis, un peu plus loin dans la nuit : « Et voilà que moi aussi je te veux. Comme porte-avions, Benjamin. Tu veux bien être mon porte-avions ? Je viendrais me poser de temps en temps, refaire mon plein de sens. » Pose-toi, ma belle, et envole-toi aussi souvent que tu le veux, moi, désormais, je navigue dans tes eaux.)

Il n'y a pas que les caméras invisibles du commissaire Coudrier pour me reluquer, le Magasin tout entier n'a d'yeux que pour ma tronche arc-en-ciel. Ça fait beaucoup d'yeux. Je ne vois pas Cazeneuve. Congé de maladie un peu plus long ? Ce coup de tatane que je lui ai flanqué ! Le sperme a dû lui jaillir par les oreilles. Je regrette, Cazeneuve. Sincèrement, je regrette. (Nouveau rire de Julia dans ma tête : « Dorénavant je t'appellerai « l'autre joue ».) Mais où sont donc planqués ces deux flics ? « Monsieur Malaussène est demandé au bureau des Réclamations... » J'y vais, j'y vais.

Après quoi, je rendrai visite à Miss Hamilton, histoire de vérifier comment fonctionne mon générateur à désir depuis que je connais vraiment Tante Julia.

Chez Lehmann, la cliente hurle. Un atomiseur déodorant a joué les grenades dans sa main délicate qui a pris des proportions de gant de boxe. Beau numéro de Lehmann sur mes « négligences criminelles ». Mais la cliente ne retire pas sa plainte. Même, si elle pouvait enfoncer ses talons aiguille dans le chou-fleur larmoyant qui me tient lieu de visage... (La vie est ainsi faite, mon vieux Lehmann, on ne peut pas gagner à tous les coups.)

Donc, après l'engueulo, je passe dire un petit bonjour à Miss Hamilton. Savoir si ses rondeurs suscitent toujours ma perpendiculaire, ou si, décidément, Julia est installée dans la biblique exubérance de mon jardin. Je grimpe les étages et « coucou, miss, c'est ma pomme ! » Miss Hamilton me tourne le dos, tout occupée à se passer sur les ongles un vernis aussi transparent que sa voix. Sa main levée dans la lumière révèle des ongles-nuages. Mais tous les vernis ont la même odeur, et un seul regard sur cette petite beauté mécanique suffit à m'assurer que ce n'est pas Julia. Je me racle tout de même le gosier. Miss Hamilton se retourne. Dieu du ciel ! Dieu de Dieu ! La même tête que moi ! Sous le fard qui n'y peut rien, deux cocardes spectrales lui ferment à moitié les yeux. La lèvre supérieure est fendue, gonflée au point de lui boucher presque le nez ! Doux Jésus, qui est-ce qui lui a fait ça ? Aussi sec, la réponse tourne dans ma tête comme une pièce de monnaie dans une assiette, accélération de l'évidence contre laquelle on ne peut rien. C'est toi, du con, c'est toi, mon salaud, qui lui as fait ça ! Le corps de femme, sur le trottoir, c'était le sien. C'est sur elle que tu as cogné !

Je mets un bon moment à ne pas m'en remettre. Qui est-ce qui lui a tenu le baratin : Malaussène

« principe d'explication », Malaussène « cause patente », Malaussène Bouc-Bombardier. Qui ? Cazeneuve ? Lecyfre ? Et pourquoi les a-t-elle crus ? Et moi qui pensais qu'elle m'avait à la bonne ! Bravo pour la perspicacité, Malaussène ! Bravo ! Pour être le roi, tu peux dire que tu es vraiment le roi ! C'est toi, le responsable ! C'est toi et ta saloperie de métier ! Toi et ton odeur de bouc !

On se regarde un bon moment, Miss Hamilton et moi, comme ça, incapables de prononcer un mot, puis deux petites larmes coulent sur son champ de ruines, et je m'enfuis comme le traître après le massacre des endormis.

J'en ai marre. J'en ai marre, marre, marre, marre ! (J'en ai plutôt marre...)

Stojil ! C'est l'état d'esprit où il me faut absolument la présence de Stojil. Parce que lui, Stojilkovitch, les désillusions, il les a toutes connues. Toutes. D'abord le Bon Dieu, auquel il croyait dur comme fer et qui a glissé dans son âme savonnée, le laissant ouvert aux quatre vents de l'Histoire. Et puis l'héroïsme de la guerre, et son absurde symétrie. La sainte obésité des Camarades, ensuite, une fois la révolution faite. Enfin la solitude lépreuse de l'exclu. Tout a foiré au cours de sa longue vie. Reste ? Les échecs (le jeu), et encore, il lui arrive de perdre. Alors ? L'humour. L'humour, cette expression irréductible de l'éthique.

Je passe donc une partie de la nuit avec le vieux

Stojil. Mais pas question de pousser le bois. Trop besoin qu'il me parle.

— D'accord, mon petit, comme tu voudras.

La main sur mon épaule, il entreprend de me faire faire la visite complète du Magasin. Il m'entraîne d'étage en étage, et, de sa belle voix souterraine, il me parle du moindre objet (cocotte-minute, cassoulet en boîte, nuisettes, escalators, pléiades, luminaires, fleurs de tissus, tapis persans) sur le mode historico-mystique, comme s'il s'agissait d'un monumental condensé de civilisation visité par deux Martiens perclus de sagesse.

Suite de quoi, nous plaçons nos pièces sur l'échiquier. Pas pu résister. Mais ce sera une partie pour rire, une partie bavarde, où Stojil poursuivra son monologue de basse lointaine et inspirée. Jusqu'à ce qu'on en vienne (Dieu sait par quel chemin) à l'évocation de Kolia, le jeune tueur d'Allemands, celui qui est devenu fou à la fin de la guerre.

— Comme je te l'ai déjà dit, il avait vraiment mis au point trente-six mille façons de tuer. Il y avait le coup de la camarade enceinte et du landau, bien sûr, mais il se glissait aussi dans le lit de certains officiers. (Il n'y avait pas que les S.A., chez les nazis, pour aimer les faces d'ange!) Ou bien, il leur faisait la surprise de l'accident, un échafaudage qui s'effondre, une roue d'auto qui se détache, ce genre de choses. Le plus souvent, la mort, quand elle émanait de lui, prenait un caractère fortuit, accidentel, la faute à pas de chance, comme vous dites, vous autres Français. Deux des officiers avec lesquels il couchait ouvertement (une sorte de Lorenzaccio balkanique, tu vois) sont morts de crises cardiaques. On n'a décelé aucune trace de poison, aucune violence. Du coup, d'autres officiers l'ont protégé des investigations de la Gestapo. Ils le désiraient presque tous, et ce faisant, ils protégeaient leur mort. Ils devaient en avoir vaguement conscience, parce qu'ils le surnommaient en riant : « LEIDENSCHAFTS-GEFHAR ».

— Traduction ?

— « Les risques de la passion », très allemand, comme tu vois, très Heidelberg ! Et petit à petit, il est devenu l'incarnation angélique de la mort. Même pour les nôtres, qui le regardaient difficilement en face. Je suppose que cela aussi a contribué à sa folie.

L'incarnation de la mort. Passage éclair de la petite photo dans ma tête, muscles bandés de Léonard, crâne pointu et luisant, jambes de l'enfant mort..., et voilà que je demande :

— Il n'utilisait jamais d'explosif ?

— Des bombes, si, quelquefois. La belle tradition maximaliste.

— Il tuait des innocents, alors ? Des passants...

— Jamais. C'était son obsession. Il avait imaginé un système de bombes directionnelles que les services russes et américains ont perfectionné par la suite.

— Bombe directionnelle ?

— Le principe est simple. Tu fais le maximum de boucan pour le minimum de dégâts. Une explosion très bruyante pour une projection de grenaille dirigée sur un objectif très précis.

— Quel intérêt ?

— Faire croire à un attentat aveugle alors que la victime est choisie. En cas d'enquête, on invoque d'abord le hasard. Ça aurait aussi bien pu être toi ou moi, ou, vu le bruit, une dizaine de personnes. C'était en général les collabos que Kolia éliminait de cette façon-là, des Yougoslaves, qu'il tuait parmi la foule.

Un temps, pendant lequel Stojil revient à la partie. Puis, sur le ton du joueur réfléchi :

— Et si tu veux mon avis, le type qui opère dans le Magasin en ce moment ne s'y prend pas autrement.

25

Admettons. Admettons que notre poseur de bombes ne tue pas au hasard. Les victimes sont choisies. La police égarée croit à un tueur fou. A ses yeux, seule la chance préserve la clientèle du carnage. Une fois, d'ailleurs, deux personnes sont mortes au lieu d'une. Bien. Supposons donc que les flics soient perdus, embarqués sur la piste du dingue qui tue aveuglément. Encore que leurs laboratoires ont bien dû les analyser, ces bombes. Mais bon, mettons qu'ils n'aient abouti à aucune conclusion satisfaisante. Questions : Si le tueur connaît ses victimes et s'il les efface les unes après les autres. 1) Pourquoi dans le Magasin exclusivement ? Objection, il peut très bien en éliminer ailleurs et que tu n'en saches rien. D'accord, mais peu probable. Quatre victimes en un même lieu rendent cette hypothèse plutôt fragile. 2) Si le tueur connaît ses victimes et s'il les efface les unes après les autres : elles, non ? Probable. 3) Mais si ces macchabs en puissance se connaissent, pourquoi s'obstinent-ils à venir faire leurs emplettes au Magasin ? Il me semble que j'éviterais plutôt cette poudrière si trois de mes potes s'y étaient fait rectifier. Conclusion : les victimes ne se connaissent pas entre elles, mais le tueur les connaît toutes séparément. (Un gars qui a le chic pour se faire des amis dans tous les milieux.) Soit. Du coup, retour à la première question : pourquoi les flingue-t-il exclusivement dans l'enceinte de ce Magasin ? Pourquoi pas dans leur plumard, à un feu rouge ou chez leur merlan habituel ? Pas de réponse pour le moment à cette question. On passe donc directement à la question numéro 4. Comment se démerde-t-il pour introduire ses pétards dans le Magasin où les flics palpent de jour et rôdent la nuit ? Sans parler de la sentinelle Stojilkovitch. Une réponse ? Pas de réponse. Bien, question numéro 5 : QU'EST-CE QUE JE VIENS FAIRE LÀ-DEDANS, MOI ? Parce que c'est un fait, j'y suis à chaque fois que ça pète. Et à chaque fois, je m'en sors vivant. Du coup, sueur froide, élimination des questions 1, 2, 3 et retour à l'hypothèse de travail du commissaire Coudrier. Le tueur ne connaît aucune de ses victimes. C'est à moi qu'il en a, et à moi seul. Il veut me mouiller jusqu'à la moelle. Il passe donc son temps à me suivre, et chaque fois que l'occasion se présente, boum ! il fait sauter un de mes voisins. Mais s'il m'en veut au point de me faire plonger dans une affaire aussi énorme, pourquoi ne pas me dynamiter personnellement ? Ça me paraît plus méchant, non ? Et d'ailleurs, dans ce cas, qui c'est, ce type ? Là, gouffre lisse de ma mémoire. Je ne vois pas. Et de nouveau, retour à la question number One : Pourquoi me compromettre exclusivement *à l'intérieur* du Magasin ? Pourquoi les gens ne s'effondrent-ils pas dans la rue en me croisant, pourquoi n'explosent-ils pas dans le métro, en s'asseyant en face de moi ? Non, c'est lié au Magasin. Mais si tout tient à ma présence au Magasin, il suffirait que je le quitte pour que le jeu de massacre cesse, non ? Du coup, question numéro 6. Pourquoi le commissaire divisionnaire Coudrier me laisse-t-il respirer cet oxygène ? Pour la seule joie de poisser un criminel aussi futé que lui ? Bien possible, ça. C'est un acharné tranquille, Coudrier. Il se sent défié, il relève le défi. D'autant que ce n'est pas de sa peau qu'il s'agit. Une petite partie se joue entre le bon et le méchant au plus haut niveau. Pour l'instant, le méchant mène quatre à zéro.

Voilà le genre de questions que continue de se poser Benjamin Marlowe ou Sherlock Malaussène, ma pomme, en laissant rêveusement glisser son froc à ses pieds. Malgré l'odeur de Julius-Langue-Pendue, on devine encore le parfum de tante Julia dans ma chambre. (« Tu as vraiment le sens de la famille chevillé à l'âme, Benjamin ; tu es amoureux de ta petite sœur Clara depuis sa naissance, mais comme ta morale t'interdit l'inceste, tu fais l'amour avec une autre que tu appelles ta tante. ») Son parfum plane et je souris. (« Que deviendrait le monde si tu cessais de l'expliquer, tante Julia ? ») L'œil de Julius suit les étapes de mon strip-tease solitaire. Il est couché au pied du lit. Il ne m'accueille plus jamais en me rentrant dans le lard. Il ne bondit plus à l'idée de la promenade commune. Il flaire sa soupe avant de se l'envoyer. Il pose sur tout ce qui vit un œil lourd de sagesse. Il a rencontré Dosto dans son voyage en Epilepsie, et Fédor Mikhaïlovitch lui a tout expliqué. Depuis, il nous fait le coup de la maturité, ce vieux Julius. Impression étrange. D'autant plus que sa langue tirée lui dessine vraiment une tête d'enfant définitif. Mais quelle odeur ! Je pourrais peut-être profiter de sa nouvelle sagesse pour lui apprendre à se laver lui-même...

— Hein, Julius, qu'est-ce que t'en dis ?

Il lève sur moi un œil jambonneux dans lequel je peux lire que la sagesse suprême du chien consiste à ne *jamais* se laver.

— Comme tu voudras...

Dodo. Journée crevante au bout du compte. Mais qui me réserve pourtant une dernière surprise avant que je ne me glisse dans les toiles. En rabattant mon dessus-de-lit, je découvre une feuille de papier à lettres coincée sous mon oreiller. Allons bon. De quelle nature, la surprise ? Déclaration d'amour ou de guerre ? Je la saisis entre pouce et index, je l'approche de la lampe de chevet et je découvre l'écriture de Thérèse, qui ne m'a pas adressé la parole depuis la sainte tornade. C'est une écriture de sergent-major, parfaitement ourlée, absolument impersonnelle, dont on jurerait qu'elle lui vient d'un instituteur calligraphe de la troisième République. Inquiétude. Puis sourire. Thérèse me fait un signe de paix. Avec une pointe d'humour qui m'étonne de sa part, elle me balance ses pronostics pour le prochain tiercé. Clara m'a donc pris au mot.

« *Mon cher Ben, ce sera le 28, le 3, le 11, ou le 7, avec une très forte probabilité sur le 28. Je t'embrasse, Thérèse, ta sœur affectionnée.* »

O.K., ma Thérèse. Dès demain, je jouerai ces

trois numéros. Si Clara finit par vendre ses photos et si Thérèse nous décroche un loto par an, je vais pouvoir couler une jolie vie de rentier... (Au fond, je n'ai qu'une ambition : rentabiliser la famille. Je ne me dévoue pas, j'investis.)

Voilà. Je m'endors. Mais c'est pour me réveiller aussitôt. La ronde sournoise des questions, insidieuses d'abord, puis de plus en plus précises, rallume mes petites lumières. Conscience parfaitement claire. Je repense à la photographie planquée dans le tiroir de ma table de nuit. Pas sous les auspices de l'horreur, cette fois-ci. Non, j'y repense comme à un indice. Le seul indice. Et que Théo veut cacher à la police. Je ne veux pas doubler Théo, mais il faudra tout de même lui expliquer que nous jouons là un jeu dangereux. Ça va chercher dans les combien, la rétention d'indices ? Obstruction d'enquête, complicité, peut-être ! Théo, Théo, il faut donner cette photo aux flics si tu ne veux pas nous faire plonger. J'aime l'oxyde de carbone et le plomb rampant de cette bonne ville, Théo, je ne veux pas en être privé. Mais alors, pourquoi ai-je gardé cette photo, moi ? Pour qu'il ne risque pas d'ennuis en rentrant chez lui ? Insuffisant. Je l'ai gardée pour l'étudier de plus près. J'y ai flairé quelque chose. Avec mon intuition habituelle. Ma fameuse intuition : celle qui m'a fait diagnostiquer la passion chez miss Hamilton. (Mamma mia...) Je sors donc la photo de son tiroir et je la regarde de très près. Je n'avais pas remarqué que le pied droit de l'enfant était coupé, et dans la main gauche de Léonard ! Et puis, qu'est-ce que ça peut bien être, ce tas, au pied de la table ? Un tas de vêtements ? Pas d'accord,

Théo, c'est autre chose. Mais quoi ? Aucune idée. L'ombre du fond, maintenant. Elle paraît, ici et là, hantée par des ombres plus épaisses. Mon Dieu, toute cette obscurité... et cet éclair de chair mutilée !

26

Les mains crispées sur leurs mousquetons, les Mobiles bondirent dans leurs camions blindés. On entendit claquer des portières, puis la longue stridulation d'un sifflet, et les gyrophares hurleurs jaillirent de la gueule des garages. Déjà, les motards ouvraient la route, dressés sur leurs étriers, tendant leurs culs ronds comme des hussards à la charge. Paris s'effaçait devant eux. Les voitures affolées grimpaient sur les trottoirs et les passants sautaient sur les bancs. Trois casernes de pompiers lâchèrent leurs monstres rouges dont les chromes hurlaient plus fort que les sirènes.

Il y eut aussi le long cri blanc des ambulances et les sabres des hélicos tranchant l'air saturé de la capitale. La maison toute ronde de la Télévision libéra ses meutes à son tour, camions-labo et voitures bardées d'antennes, bientôt suivies par leurs collègues de la Presse Ecrite dans leurs bagnoles d'entreprise, et par les zozos des radios libres sur leurs Solex personnels. Tout cela convergeait vers le Sud, animé par la plus professionnelle des excitations. Place d'Italie, un fourgon surgissant du Boulevard de l'Hôpital s'offrit une autopompe jaillie des Gobelins. Bleu contre rouge, il n'y eut pas de vainqueur, mais un nombre égal de casques sur l'asphalte. Une ambulance fit le ménage et retourna d'où elle venait.

Autoroute du Sud : le convoi hurleur créait une sorte d'aspiration où s'engouffrait l'armada des curieux, la foule immense et bien portante des soiffards de sang, qui se mirent eux-mêmes à klaxonner comme s'il s'agissait d'un mariage. Il y avait dix-sept kilomètres à franchir, ce fut l'affaire d'une respiration, d'un clignement d'œil. Pas le temps de se demander où on allait qu'on y était déjà, tant l'urgence tendait l'air. SAVIGNY-SUR-ORGE. C'était là que ça se passait. Plus précisément dans cette jolie maison couverte de roses, au bord de l'Yvette. Volets clos, grand vide tout autour, parfum de mort. Silence de l'attente. De ces silences où se faufile l'ombre des tireurs d'élite, ici planqués derrière une voiture, là sur un vieux toit de tuiles, ailleurs derrière la bâche d'un camion, tous reliés au chef par walkie-talkie, le doigt sur la détente de leurs fusils à lunette, pas exactement des hommes, rien d'autre que des regards et des balles. Le commentateur de la télé, qui jusque-là s'était offert un rythme de foot, murmurait à présent, murmurait dans un souffle que c'était là, à l'intérieur de cette jolie maison aux balconnets fleuris que se retranchait le tueur du Magasin, qui avait, semble-t-il, pris son vieux père en otage. La maison était bourrée d'explosifs, de quoi faire sauter le village tout entier, et l'on avait vidé le quartier sur trois cents mètres à la ronde.

Silence dans le Magasin où l'image de la jolie maison se greffa sur la vibration colorée d'une bonne centaine d'écrans. Employés et clients, debout, muets, l'œil fixe, étaient tous rassemblés là, dans la salle d'exposition des téléviseurs. Les quatre murs, tapissés de la même image, leur promettaient un épilogue digne de leur attente. Il était vingt heures et douze minutes, à présent. Tout avait commencé à vingt heures zéro-zéro. La police avait choisi d'opérer en direct, à l'heure du Journal, sur toutes les chaînes, prévenues avant même le début des opérations. C'est que le suspect était soupçonné depuis longtemps. Pourquoi ne pas l'avoir arrêté plus tôt ? se demanda le murmure du commentateur. Il donna lui-même la réponse : accumulation d'indices, jusqu'à ce que le faisceau constitue une présomption de culpabilité suffisante pour donner l'assaut. Maintenant, la résistance du suspect équivalait au plus flagrant des aveux. Sa culpabilité, il l'avait d'ailleurs hurlée à la face du monde avant de se barricader. Il avait promis de faire sauter la maison à la moindre tentative pour l'investir. C'était donc l'attente. L'Attente. Particulièrement pour un homme, un homme seul sur qui reposait toute la responsabilité de l'opération. Et la caméra quitta un instant la façade fleurie de la maisonnette, glissa à travers le no man's land pour se poser sur lui, l'Homme qui Attendait. C'était un petit homme vêtu de vert sombre. Une veste un peu grande peut-être pour lui, au point qu'on aurait dit plutôt une sorte de redingote. Il portait la Légion d'honneur, et un ventre rond tendait son gilet de soie frappée d'abeilles d'or, Une de ses mains, glissée entre deux boutons du gilet, reposait sur son estomac, agacé sans doute par l'ulcère des responsabilités. L'autre, il la dissimulait derrière son dos, peut-être pour cacher les crispations de ses doigts.

Ses collaborateurs se tenaient à distance respectueuse. Ce n'était pas le genre de chef dont on peut troubler impunément la méditation. La tête penchée, comme par le poids des supputations, il coulait sous ses arcades sourcilières un regard ténébreux qu'on devinait rivé sur la maison fleurie. Une mèche noire et lourde, en forme de virgule, ponctuait son vaste front blanc.

Mais qu'attendait-il donc pour donner l'ordre de l'assaut final, le commissaire divisionnaire Coudrier ? Il attendait. Sachant par expérience que les batailles se perdent dans la précipitation. Sachant aussi que, jusqu'à présent, ses succès, sa carrière, pour ne pas parler de sa Gloire, il les devait à son sens inné de l'opportunité. Saisir le moment. Le moment précis. Il n'avait jamais eu d'autre secret. Il attendait donc. Sous l'œil des caméras, dans le silence attentif de ses collaborateurs, face à la maison fleurie, il attendait. On lui avait tendu un parlophone, il l'avait refusé d'un geste. Ce n'était pas l'homme des négociations. Mais de l'Attente. Et de l'Eclair. Tout à coup, il y eut un remous dans le dos de l'Homme Seul. Il ne se retourna pas. Une 504 décapotable, 6 cylindres en V, rose et bosselée, dangereuse comme un brochet, fendait la foule des journalistes et des policiers. Elle s'immobilisa dans un soupir au niveau de l'Homme Seul. Deux hommes en sautèrent, sans même prendre appui aux portières qui restèrent fermées. Un double bond de félin. La caméra saisit leur visage comme ils s'avançaient vers leur chef. Le plus petit était d'une laideur tourmentée de hyène. L'autre était un énorme chauve, à l'exception de deux pattes qui abattaient leurs points d'exclamation sur ses maxillaires puissants. Le premier était vêtu comme un clochard, le second comme un joueur de golf.

— Jib la Hyène et Pat les Pattes !

— Tout juste, les enfants.

— Plus méchant qu'Ed Cercueil et plus dangereux que le Tchèque en bois !

— C'est bien eux, Jérémy, tu les as reconnus.

— Alors ?

— Alors quoi ?

— Alors la suite !

— La suite, demain à la même heure.

— Oh ! non, merde, Ben, tu es dégueulasse !

— Pardon ?

— Continue, quoi, tu peux pas nous laisser comme ça !

— Tu veux que je fasse un tour dans ton cahier de textes, pour te montrer si je suis dégueulasse ?

(Ouh, là... flottement.)

Puis, Jérémy se tournant vers Clara : (Cette capacité qu'il a de retrouver le sourire de ses cinq ans, en cas d'urgence, celui-là !)

— Clara, dis-lui, toi.

La voix de Clara :

— Allez, Ben...

Voilà, il n'en faut pas plus pour pulvériser le dernier blockhaus de mon autorité.

— Alors, le plus petit et le plus laid des deux inspecteurs (impossible de dire qui était le plus méchant) se pencha sur l'oreille de l'Homme Seul. Il y eut un murmure puis l'ombre d'un sourire passa sur le visage du Chef. Mais une ombre où chacun pouvait lire la certitude de la victoire. Le commissaire divisionnaire Coudrier n'eut qu'à lever une main, claquer des doigts, pour que le fidèle Caregga surgisse, comme jailli de la boîte magique du dévouement.

Une seconde, tous les écrans de télévision se brouillèrent. La tête du commentateur s'installa de nouveau. Le siège de la maison promettait d'être long, expliqua-t-il, il proposait donc aux téléspectateurs d'écouter le docteur Pelletier, psychiatre de renommée mondiale, qui allait tenter de cerner pour nous la personnalité de l'assassin. Le commentateur se retourna vers l'invité dont le visage se greffa sur l'écran. Aussitôt, toutes les jeunes filles de France s'émurent, ainsi que leurs mères. Le professeur Pelletier était un tout jeune homme — à moins qu'il ne se fût agi d'un homme que le savoir conservait en sa jeunesse — d'une beauté pâle et fragile, et qui parlait d'une voix douce, aux inflexions calmes, une voix dont l'extraordinaire profondeur rappelait celle du gardien de nuit Stojilkovitch. Il tint d'abord à rendre hommage à la grande intelligence du criminel. Nul dans les annales du crime n'avait tenu si longtemps en échec la police d'un pays tout entier en perpétrant tant de fois le même crime, sur un même lieu, et par les mêmes moyens. Ce disant, le docteur Pelletier souriait paisiblement, au point qu'on oublia qu'il parlait là d'un redoutable assassin. « Et, en l'occurrence, cette intelligence ne me surprend pas, continua-t-il, car j'ai connu l'homme dont il s'agit, dans mon enfance, sur les bancs de l'école, plusieurs années durant, sans jamais pouvoir lui ravir la première place. Nous nous livrions alors une compétition acharnée, comme seule l'école sait en susciter, et, d'une certaine façon, la position sociale que je tiens aujourd'hui, c'est à cette émulation que je la dois. Qu'on n'attende donc pas de moi que je porte sur cet ami d'antan un jugement moral. Je me contenterai, dans la mesure de mes moyens (qui, je n'en doute pas, restent encore aujourd'hui bien inférieurs aux siens) d'expliquer le fondement de ses actes apparemment insensés.

— Clara, une autre tasse de café, s'il te plaît.

Hurlements de Jérémy et du Petit :

— Plus tard, Ben, la suite, s'il te plaît, la suite !

— J'ai le temps de siroter mon café, non ? On n'est pas aux pièces ! D'ailleurs, c'est pratiquement fini...

— Fini ? Et comment ça a fini ?

— D'après toi, comment ça peut finir ?

— Ils ont fait sauter la baraque au bazooka ?

— C'est ça, et avec tous les explosifs qu'elle contenait, Savigny a été rayé de la carte. Bravo, les flics !

— Ils y sont entrés par un souterrain !

— Petit, on ne peut pas utiliser plusieurs fois le coup du souterrain dans une même histoire, ça lasse.

— Comment, Ben ? Finis ton café, Bon Dieu !

— Il s'est passé exactement ce que Pat les Pattes et Jib la Hyène avaient prévu dans leur esprit tordu. Ce type, le criminel, il n'était pas si futé que ça. Pas con comme un balai, mais enfin, loin d'être un caïd des neurones comme le prétendait le professeur Pelletier. Alors quand il a entendu le toubib faire ce merveilleux portrait de lui, à la télé, il a quitté la fenêtre où il veillait pour s'approcher du poste, bien sûr. (Aux miroitements bleuâtres, derrière les volets clos, Jib la Hyène avait pigé que le gars suivait sa propre épopée sur le petit écran.) Et quand le professeur Pelletier (pas plus psychiatre que moi, entre parenthèses, mais un bon copain des deux flics, du temps de leur folle jeunesse) donc, quand le faux psy s'est mis à raconter qu'ils étaient camarades d'école, qu'il l'admirait vachement et tout ça, l'autre s'est creusé le cigare pour se demander 1) en quelle année c'était, 2) comment il avait fait pour oublier un si bon pote. Deux questions fatales, mes enfants, parce qu'il cherchait encore la réponse quand le calibre trente-huit de Pat les Pattes s'est posé sur sa nuque. Je crois même qu'à ce moment-là, il avait déjà les bracelets de Jib la Hyène aux poignets.

— Et comment ils sont entrés dans la maison, les deux ?

— Par la porte, avec leur passe.

Silence, il y a toujours, à ce stade du récit, un silence légèrement angoissant où je peux voir fonctionner les synapses des mômes derrière leurs yeux immobiles, sous leurs sourcils froncés. Ils cherchent s'il n'y a pas une entourloupe, quelque facilité de narration (ellipse abusive, flou trompeur, escamotage) indigne de mon talent et de leur perspicacité.

— Ça colle, Ben, c'est même vachement fort de la part de Pat les Pattes et Jib la Hyène.

Ouf !

— Mais le père ?

Aïe !

— Pas plus otage que vous et moi, le père. C'était même à cause de lui que le fils piégeait le Magasin.

— Ah ! bon ?

Brusque sursaut de tous les trois, Thérèse continuant sans broncher son humble tâche de sténotypiste.

— Le père, c'était un inventeur. Il prétendait que les trois firmes principales pour lesquelles travaillait le Magasin lui avaient fauché ses inventions. Ce n'était pas tout à fait faux, mais ce n'était pas vrai non plus.

— Comment ça ?

Jouissance du narrateur...

— Eh ! bien, c'était le genre de type à n'avoir jamais de chance. Il inventait vraiment des tas de trucs formidables (cocotte-minute, stylo-bille, genre...) mais toujours deux ou trois jours *après* qu'un autre les eut inventés (passé antérieur, Jérémy, et C.O.D. placé avant l'auxiliaire avoir). Alors, une fois, ça va, deux fois à la rigueur, mais toute une vie, il y a de quoi se sentir victime de quelque chose. Il a donc fini par convaincre le fils que les trois firmes le doublaient et le fils a décidé de le venger en piégeant le Magasin. C'est tout.

— Qu'est-ce qu'il faisait, le père, quand Jib la Hyène et Pat les Pattes sont entrés dans la maison ?

— Il écoutait lui aussi leur copain Pelletier à la télé ! Il faut vous dire que le père, il n'avait pas remarqué que son fils avait été si brillant que ça, à l'école. Pour tout dire, même, il n'y avait entre eux que des souvenirs d'engueulades, sur ce sujet-là. Alors, le père écoutait, forcément, il n'en revenait pas, il s'excusait même auprès de son fils. Tant d'années où il s'était montré si injuste ! Il s'excusait en pleurant...

27

On a mis un certain temps à pieuter les petits après ce récit. Le torrent de la fiction avait affolé le grand moulin à questions. Jérémy demanda entre autres comment le « Criminel » (ils adorent ce mot, ils le préfèrent à assassin) s'y était pris pour introduire ses bombes à l'intérieur du Magasin. Là, j'ai été pris de court. C'est Clara qui m'a sauvé la mise en répondant que, pour l'instant, on n'en savait rien, mais que le « criminel » allait être interrogé par un tout jeune inspecteur de la P.J., un certain Jérémy Malaussène, qui, paraît-il, avait une idée sur la question. « Je veux », a murmuré Jérémy avec son sourire entendu, et il s'est glissé dans les plumes sans rien demander d'autre.

Quand Julius et moi réintégrons notre chambre, elle est nickel. Jamais été aussi propre depuis des années. On y sent à peine l'odeur de Julius, et plus du tout le parfum de Julia. Clara qui a grimpé sur nos talons, sous prétexte de me cuisiner à propos d'un sonnet de Baudelaire qu'elle ne comprend pas très bien, s'excuse en souriant.

— Il y avait trop longtemps qu'on n'avait pas fait le ménage, Ben, j'ai profité d'un trou dans mes horaires.

Aussitôt, le souvenir de la photo me saute dessus. La nuit dernière, je l'ai abandonnée sur la table de chevet, et ce matin j'ai oublié de la planquer dans le tiroir. Coup d'œil. Bien entendu, elle n'y est plus. Coup d'œil à Clara.

Deux larmes tremblent.

— Je ne l'ai pas fait exprès, Ben.

(Bougre d'abruti. Laisser traîner ça...)

— Ben, excuse-moi, vraiment, je n'ai pas voulu...

Ce ne sont plus deux larmes qui perlent, maintenant, ce sont de gros sanglots qui la secouent, dont je me demande bêtement s'ils sont dus au souvenir de l'horreur ou à la honte de l'indiscrétion.

— Ben, dis-moi quelque chose...

Evidemment. Dire quelque chose.

— Clara...

Voilà. J'ai dit quelque chose. Depuis combien d'années n'ai-je pas pleuré, moi ? (voix de maman : « tu n'as jamais pleuré, Ben, en tout cas, je ne t'ai jamais vu pleurer, même bébé. Tu as déjà pleuré ? »
— Non ma petite mère, jamais en dehors du boulot.)

— Ben...

— Ecoute, ma Clarinette, c'est entièrement ma faute. Cette photo devrait être sous les yeux de la police à l'heure qu'il est. C'est Théo qui l'a trouvée. Il pleurait comme toi en me la montrant. Mais il ne voulait pas qu'on arrête le type qui a vengé l'enfant mort... Clara, tu m'écoutes ?

— Ben... je l'ai photographiée.

(Bravo, c'est complet. Evidemment, à partir du moment où elle l'a vue...)

Deux ou trois reniflements encore. Elle sèche ses larmes.

Un jour, je lui ai demandé d'où lui venait (en dehors de sa passion pour la photo proprement dite) cette habitude qu'elle avait prise de photographier le pire quand elle le croisait sur sa route. Elle m'a répondu que c'était comme quand elle était petite et que je mettais dans son assiette quelque chose qu'elle n'aimait pas. « Je ne te disais jamais que c'était mauvais, Ben, mais moins j'aimais ça — les endives par exemple, avec leur amertume — plus je *goûtais* attentivement. Pour *savoir,* tu comprends ? Je n'aimais pas davantage après, mais du moment que je savais pourquoi, je pouvais manger sans t'ennuyer avec des caprices. Eh bien, c'est un peu la même chose pour la photographie, je ne saurais pas t'expliquer mieux que ça. »

Et alors, Clara, maintenant que tu l'as photographiée cette photo, tu *sais* ? Et qu'est-ce que tu peux bien savoir, ma pauvre chérie ?

— Clara, c'est affreux que tu aies vu ça...

— Pas si ça peut servir à quelque chose.

Ici, elle a changé de ton. C'est de nouveau la voix doucement précise.

— J'ai fait quelques agrandissements.

(Dieu de Dieu...)

— Sur certains, j'ai atténué les contrastes, sur d'autres, je les ai forcés.

(C'est ça, causons technique.)

— Il y a trois choses curieuses. Tu veux voir ?

— Bien sûr que je veux voir !

(Je ne vais pas te laisser toute seule dans ce noir et blanc.)

Deux secondes plus tard, une douzaine d'agrandissements sont étalés sur le lit. Morceaux d'ombre, pieds de table, le tas sur le sol, certains clichés de plus en plus blanchis, d'autres de plus en plus noircis. Et, détail remarquable : aucune parcelle des deux corps ne subsiste ! Comme s'ils n'avaient jamais figuré sur cette photo. Totalement escamotés ! D'autant plus frappant que l'œil de Clara semble avoir vraiment *tout* saisi, en dehors de l'enfant mort et de son assassin. Et voici l'horreur des horreurs effacée par le regard de l'ange. C'est presque sur le ton enjoué d'une devinette que Clara demande :

— D'après toi, le tas, au pied de la table, qu'est-ce que c'est ?

— On s'est posé la même question avec Théo.

— Regarde-bien, ça ne te rappelle rien ?

— Clara, Bon Dieu, qu'est-ce que tu veux que ça me rappelle ?

— Regarde...

Elle sort un feutre rouge de son cartable, et, comme une enfant, suit en s'appliquant la limite où le gros paquet d'ombre qui constitue le tas se fond dans l'obscurité de la pièce proprement dite. Ce faisant, elle dessine une forme. Les pointes et les bosses se trouvent reliées par un contour. Et plus le contour contourne, plus cela, en effet, prend un sens, un sens qui m'est familier. Il y a là un ventre gonflé, une nuque raidie, des oreilles pointues, une gueule béante sur une langue tirée qui fait penser au

Guernica de Picasso, l'ébauche d'une patte, la silhouette d'un chien !

— Julius ?... Julius !

Coup de cymbales dans mon Espace-Temps.

— Qu'est-ce que Julius peut bien foutre sur cette photo ?

— Ce n'est pas Julius, bien sûr, c'est un autre chien, Ben, mais *dans le même état que Julius à l'époque de sa paralysie* !

Il y a du Sherlock Holmes cocaïné dans l'excitation de ma petite sœur, maintenant.

— Et alors, Ben, ça amène à une autre constatation !

— Constate, ma chérie, constate.

— La scène photographiée s'est déroulée *dans* le Magasin, à l'endroit même où Julius a piqué sa crise.

— Qu'est-ce qui te fait dire ça ?

— Quand Julius est passé devant l'endroit, il a dû flairer quelque chose...

— Tu plaisantes, cette photo a au moins vingt ans !

— Quarante, Ben, elle date des années quarante. On ne massicote plus comme ça depuis les années cinquante ! On pourrait d'ailleurs faire une étude du vieillissement des sels pour confirmation...

Ma parole on m'a transformé ma frangine préférée en laboratoire de police !

— Mais il y a une question...

— Oui ?

— Ce n'est pas la première fois que Julius allait te chercher au Magasin après ta partie d'échecs.

— Non, pourquoi ?

— Comment se fait-il qu'il n'ait piqué sa crise que cette nuit-là ?

Je revois le méchant aux sourcils touffus m'interdire la porte de la cantine et m'ordonner de descendre par l'escalator.

— Parce que d'habitude, nous prenions un autre chemin. C'était la première fois qu'il passait par là.

— Et c'est devant le rayon des jouets que ça s'est passé, non ?

Là, je la regarde comme si elle commençait à me flanquer vraiment la trouille.

— Comment sais-tu ça ? je ne te l'ai jamais dit !

— Regarde.

Nouvelle promenade du feutre rouge sur un agrandissement blanchi. Ça dessine tout seul une forme musculeuse qui s'élève, légèrement de biais jusqu'au plafond. Deux autres traits figurent le repli d'une capuche, puis le moutonnement d'une barbe. C'est un des pères Noël de stuc qui, depuis plus de cent ans, soutiennent sans mollir les étages du Magasin au-dessus du rayon des jouets.

— Il n'y en a nulle part ailleurs dans le Magasin, Ben.

(Blow-up, la photo qui cause...)

— Clara, c'est tout ?

— Non, Léonard n'était pas seul.

— Il y avait au moins celui qui le photographiait.

— Celui-là et quelques autres.

Trois ou quatre selon le nouveau cheminement du petit feutre rouge dans les profondeurs obscures de la vieille photo. Et peut-être d'autres, hors champ.

— OK ma chérie, ça suffit comme ça. Tu me planques soigneusement tout ça, et dès demain je rends la photo à Théo pour qu'il l'envoie à la police.

28

— Pas question, plutôt crever !

Cela dit en abattant si violemment sa fourchette sur son assiette et en gueulant si fort, malgré le désir de se retenir, que les clients les plus proches sursautent et se retournent.

— Qu'est-ce qui te prend, Théo ? Regarde, tu as cassé ton assiette.

— Ben, n'insiste pas, je ne donnerai jamais cette photo aux flics.

Le céleri rémoulade se répand comme une coulée de plâtre sur la nappe à carreaux rouges.

— Tu sais ce qu'on risque ?

Il essaye de recoller discrètement les deux morceaux de l'assiette. C'est pour le coup qu'entre l'assiette et la nappe, le céleri remplit son office de ciment.

— Toi, tu ne risques rien, tu n'as qu'à foutre en l'air les agrandissements de Clara, c'est tout. Quant à moi...

Rapide coup d'œil :

— Moi, ça me regarde.

Il a laissé fuser ça entre ses dents, dans un

murmure féroce, en rangeant la sinistre photographie dans son portefeuille. C'est à mon tour de le regarder avec des points d'interrogation et de lui retourner la question de l'autre soir :

— Théo, tu trempes dans cette histoire de bombes ?

— Si j'en étais, je ne t'aurais pas montré cette photo.

C'est sorti très spontanément, et c'est vrai. S'il y était pour quelque chose, il n'aurait pas cherché à me mouiller en me flanquant un indice sous le nez.

— Tu sais qui c'est ? Tu couvres quelqu'un ?

— Si je savais qui c'est, je le proposerais à l'ordre de la Légion d'honneur ! Bastien, apporte-moi une autre assiette, j'ai pété la mienne !

Bastien, le loufiat local, se penche en rigolant.

— Scène de ménage ?

Des mois qu'il nous prend pour un couple, cet abruti.

— Rengaine tes vannes et rapporte-moi du matériel solide ! Sans céleri rémoulade ! Quel est le Français profond qui a inventé le céleri rémoulade, tu peux me le dire ?

Douché, Bastien éponge en râlant.

— Personne t'oblige à en commander !

— Si, la curiosité ! L'esprit d'expérience ! Il y a des moments, dans la vie, où on veut en croire ses yeux ! Non ?

Tout cela dit avec une insistante méchanceté.

— Non ? Oui ou non ? Un poireau vinaigrette, s'il te plaît !

Vision sur le gros cul de Bastien qui s'éloigne en maugréant.

— Théo, pourquoi refuses-tu d'envoyer cette photo aux flics ?

Il reporte toute sa rogne sur moi, à deux doigts de m'envoyer me faire foutre :

— Tu lis les journaux, quelquefois ?

— Le dernier que j'ai lu c'était celui qui titrait sur la mort de Léonard.

— Eh bien ! t'as eu du pot de le lire, tu as eu un numéro de la première édition. La deuxième a été saisie.

— Saisie ? Pourquoi ?

— La famille du défunt. Atteinte à la vie privée. Un coup de bigo bien placé et il ne leur a fallu que deux heures pour faire saisir tous les numéros en vente. Suite de quoi ils ont attaqué la direction du canard, assignée en référé, et ils viennent de gagner leur procès ce matin.

— Si vite ?

— Si vite.

Discrète glissade de l'énorme Bastien, le poireau vinaigrette se pose sur la table.

— Et alors, ça ne m'explique pas pourquoi tu veux garder cette photo ?

Regard consterné.

— Tu as du céleri rémoulade dans la tête ou quoi ? Ben, tu réalises le pouvoir de ces salauds de culs propres ? Il leur a suffi d'un coup de téléphone pour faire saisir le quotidien qui avait osé publier les quatre photos de ce fumier en train de prendre son pied ! (Parce que tu l'avais compris, ça, au moins, non ? ce que *représentaient* ces quatre photomatons ?) Suite de quoi, procès éclair et ils font cracher un maximum au journal. Qu'est-ce qui se passe, maintenant, si j'envoie cette photo aux flics, hein ?

— Ils étouffent l'affaire.

— Consigne venue d'en haut, à la bonne heure, t'es moins ramolli que je le craignais. Et tu veux que je te raconte la suite ?

Il se penche brusquement au-dessus de son assiette, où plonge sa cravate.

— La voilà, la suite : avec cet indice en or entre leurs mains, les flics pigent l'essentiel : *le mobile.* Jusqu'à présent ils avaient été trimbalés par la thèse du dingue qui tuait au hasard. Maintenant ils savent. Ils savent qu'une bande d'ordures satanicoïdes s'est jadis offert — s'offre peut-être encore ! — des saloperies de messes noires avec sacrifice humain et tout le cortège de tortures que ça suppose sur la personne *d'enfants,* Monsieur, *d'enfants* !

Il est maintenant debout devant moi, les poings retournés sur la table, sa cravate se déroulant de son assiette pour grimper jusqu'à son cou comme une corde de fakir, dans la pose même du hurlement de rage, mais il murmure, il murmure, des larmes tremblant à nouveau sur le bord de ses paupières.

— Ta cravate, Théo, regarde ta cravate, assieds-toi...

— Et du même coup, les flics comprennent le reste. Quelqu'un les a repérés, ces salauds de sacrificateurs et quelqu'un les flingue, l'un après l'autre, méthodiquement, et ce quelqu'un les aura tous si les flics ne se magnent pas le cul. Or, ça leur plairait plutôt, aux flics, que le vengeur fasse le vrai boulot à leur place, seulement voilà, c'est une institution, la Police, et elle doit *fonctionner*, tu comprends ça ? Et puis autre chose, encore, ces fonctionnaires fonctionnant sont aussi des hommes, des mecs comme toi et moi (enfin, pas tout à fait comme moi), avec leur curiosité, leur *curiosité*, Ben, et ils donneraient dix ans de leur retraite pour en coincer un, un seul de ces mangeurs d'enfants, histoire de voir ce qu'il a dans le ventre, de comprendre ! Et alors, d'après toi, qu'est-ce qui lui arrivera, à celui-là, l'ogre rescapé ?

— Il passera le reste de sa vie au trou.

— Exact.

Il se rassied, dénoue sa cravate qu'il plie soigneusement.

— Exact, un trou si profond que personne n'en saura jamais rien, sans procès, je t'en fous mon billet, au trou, comme ça, direct, parce qu'un tel scandale, Monsieur, il n'est pas question que ça éclabousse des gens qui ont le téléphone aussi efficace que les Léonard.

— Et les familles des enfants ?

Là, il se passe un long moment pendant lequel Théo contemple son poireau vinaigrette comme si c'était le truc le plus difficilement identifiable qu'il ait vu de sa vie. Puis, rêveur :

— D'après toi, Ben, qu'est-ce que c'est qu'un orphelin ?

(... « qu'avait pas d'papa, qu'avait pas d'maman »... ça chantonne sinistre dans ma tête.)

— D'accord, Théo, c'est quelqu'un que personne ne recherche.

— Oui, monsieur.

L'obstination avec laquelle il regarde ce poireau !...

— Oui, Ben. Et un orphelin, c'est la crédulité même. C'est quelqu'un qui n'a qu'une envie : trouver quelqu'un d'autre, suivre les messieurs qui proposent des bonbons. Or ces messieurs-là en raffolent, justement, des orphelins.

Il y a en lui quelque chose qui fait un effort désespéré pour ne pas en penser plus qu'il ne m'en dit, une fixité de tout son être : l'image de l'homme qui lutte contre les images.

Son couteau tripote le poireau avec circonspection, comme s'il s'agissait d'une chose innommable, récemment morte, ou pas encore vivante.

— Quand je dis « orphelin », je limite le choix. Il faudrait dire « délaissés ». Des gosses délaissés, dont tout le monde se fout, y compris les institutions qui sont censées les abriter, notre joli monde en fournit à la pelle : petits bougnoules rescapés d'un autre massacre, jeunes jaunes à la dérive, fugueurs, fuyards, génération spontanée du bitume, y a qu'à se servir... Je ne donnerai pas cette photo aux flics.

Un temps, où il retourne le poireau sur lui-même, le poireau qui a une densité de noyé.

— Et puis, je vais te dire, les flics ne vont pas tarder à le coincer, notre vengeur. Ils ne sont pas idiots, ils ont des moyens, ils n'ont pas dû marcher longtemps sur la fausse piste du hasard. C'est une course de vitesse. Zorro n'a plus qu'une demi-longueur d'avance, peut-être même pas. Il n'aura sans doute pas le temps de les flinguer tous. Alors, je ne vais pas aider la Police à le coincer. Oh non, pas moi !

Et enfin, après un dernier coup d'œil à la chose pâle qui gît dans son assiette, vert et blanc fondus dans la nacre d'une huile épaisse où stagnent les yeux immobiles du vinaigre...

— Ben, s'il te plaît, tirons-nous, ce poireau a eu ma peau.

29

Ça s'est passé ce matin, juste avant le coup de téléphone de Louna. Je sortais de chez Lehmann, et je venais de faire un détour par la librairie du premier, histoire de vérifier un de ces détails insignifiants en apparence, mais qui font rebondir les enquêtes et économisent les pages.

Je voulais juste demander au vieux M. Risson depuis combien d'années il marnait au Magasin.

— Ça fera quarante-sept ans cette année ! Quarante-sept ans à se battre, monsieur, pour la défense des Belles-Lettres et à ne vendre que le tout-venant. Mais Dieu merci, j'ai toujours pu préserver un rayon Littérature !

Quarante-sept ans de boutique ! Je ne lui ai pas demandé à quel âge il avait commencé. J'ai continué à farfouiller, feuilleter, bref légitimer sa fierté. J'ai fait un petit tour dans la « Mort de Virgile », j'ai glissé sur une édition reliée du « Manuscrit trouvé à Saragosse », et puis, j'ai demandé :

— Combien avez-vous vendu de Gadda, depuis la réédition en poche ?

— *L'Affreux pastis de la rue des Merles* ? Aucun.

— Eh ! bien vous venez d'en vendre un, j'ai un cadeau à faire.

Sa belle tête blanche a fait une moue d'approbation, genre « juste et sévère ».

— A la bonne heure, ça c'est un livre ! C'est mieux que vos élucubrations sur Aleister Crowley !

— C'était aussi un cadeau, monsieur Risson, tous les goûts sont hors la nature.

— Et il n'y a pas assez de dégoût, si vous voulez mon avis.

Pendant qu'il me faisait mon petit paquet (il semblait avoir l'éternité devant lui), je me suis rapproché du sujet :

— Vous ne prenez jamais de vacances ? Il me semble que je vous ai toujours vu à votre rayon.

— Les vacances, c'est bon pour votre génération trépidante, jeune homme, moi, je fais tout lentement et je ne ferme qu'avec le Magasin.

L'occase était trop bonne, j'ai immédiatement sauté dessus.

— Et combien de fois a-t-il fermé, le Magasin, en quarante-sept ans ?

— Trois fois. Une fois en quarante-deux, une fois en cinquante-quatre, quand on a surélevé le sixième, une fois en soixante-huit, lors de cette pantalonnade.

(Lors de cette « pantalonnade »...)

— Et en quarante-deux, qu'est-ce qui a motivé la fermeture ?

— Changement de direction, de gestion et de mentalité, dirais-je. Le précédent Conseil d'Administration était essentiellement juif, si vous voyez ce que je veux dire. Mais c'était une époque où on savait ce qui revenait de droit aux vrais Français !

(Pardon ?)

— Et combien de temps le Magasin est-il resté fermé ?

— Six bons mois. Ces « messieurs » chicanaient, voyez-vous. Dieu merci, l'Histoire a fini par trancher.

(Si Dieu existe, il te chiera dessus le moment venu, sale con.)

— Six mois à l'abandon ?

— Et dûment gardé par la Milice pour que les rats ne viennent pas vider le bateau.

(Dire que jusqu'ici, je trouvais cette vieille ordure délicieusement sympathique, le grand-père que je n'ai pas eu, et toute cette salade nostalgique...)

Je lui ai pris mon pauvre Gadda des mains, en me promettant de le désinfecter, et j'ai dit :

— Merci infiniment, monsieur Risson, à l'occasion je reviendrai causer avec vous.

— Ce sera avec plaisir, les jeunes gens respectueux se font rares.

C'est dans l'escalier roulant que ça m'a pris. L'épée de feu au travers de la tête. Une douleur totale. Agrémentée d'une vision grotesque surgie de Chester Himes : un grand Noir, courant dans la nuit new-yorkaise, un couteau planté dans la tempe et dont la lame ressort de l'autre côté. Puis la douleur s'est calmée et la surdité est revenue. Plus de brouhaha, plus de musique d'ambiance, plus rien. Mais trop tard. Cette foutue saloperie m'avait laissé entendre le grand-père de mes rêves regretter son bon temps. Bordel de Dieu, comment avec un tel paquet de merde en guise de cerveau cette déjection humaine peut-elle aimer Gadda, Broch, Potocki et se trouver d'accord avec moi sur Aleister Crowley? Quand donc comprendrai-je quelque chose à quelque chose? En tout cas, j'avais la date. 1942. Si quelque chose s'était passé dans le Magasin, c'était dans les six mois de cette année-là. Le jour, ou la nuit? La nuit, à en juger par la photo. La nuit. Dans un magasin gardé par la Milice.

J'en étais là quand je les ai enfin repérés.

Mes deux caméras vivantes.

Les quat'zieux du Commissaire Coudrier.

Ils m'ont sauté à la figure avec une telle évidence que je me suis demandé comment j'avais fait pour ne pas les remarquer plus tôt. Le grand et le petit. Le gros et le maigre. Le distinguished et le clodo. Le chauve et l'hirsute. Pat les Pattes et Jib la Hyène. Quasi. Enfin, avec toute la distance que la vie met entre réalité et fiction, quoi qu'on fasse. Mais tout de même, ne pas les avoir remarqués plus tôt! Ces deux-là! Avec leur dégaine! L'un était planqué derrière le présentoir des cuirs fins, c'était le gros, et l'autre, mister Hyde, à quinze mètres de là, en train de bouffer une religieuse au chocolat derrière des dentelles de dame. J'étais tellement scié que je ne pouvais plus les quitter des yeux. Ils ont immédiatement pigé qu'ils étaient repérés. Et ma foi, ils n'étaient pas moins surpris que moi. On s'est donc reluqué comme ça, un certain temps, puis le gros s'est brusquement empourpré et m'a fait un geste bref de la tête que j'ai tout de suite compris. Vexé comme un pou mais costaud comme un dogue. Je me suis donc secoué. J'ai regardé ailleurs. Entre eux deux, exactement, pour éviter l'autre gourmand et sa religieuse. Et ça s'est encore compliqué. Parce que derrière eux, à une dizaine de mètres derrière eux, il y avait, bien en face de moi, le rayon des armes. Avec les râteliers de flingues, la panoplie complète des pistolets d'alarme, des couteaux à dépecer, des sifflets à ultra-sons, des pièges à dents, de toutes ces petites merveilles qui font luire l'œil du chasseur — celui qui aime et connaît vraiment la nature ! Il y en avait d'ailleurs un au comptoir — un de ces écolos à tenue camouflée. La cinquantaine, accompagné de ses deux gniards, des ados d'une propreté dangereuse, tous trois discutant des mérites d'un fusil à pompe aux reflets bleutés qu'ils se passaient de main en main, épaulant en un éclair, traçant de brèves courbes dans leur ciel, puis opinant du chef, connaisseurs qu'ils étaient, dès le berceau. Le vendeur, tout sourire, communiquait en profondeur. Tellement jouasse d'avoir des clients à ce point au parfum que ses yeux ne tenaient plus tout son comptoir. C'est alors que j'ai vu la main plonger dans la boîte de carton gris et en retirer deux cartouches, très naturellement, sans même se planquer. La main appartenait à un des petits vieux de Théo, réellement petit, et absolument vieux, et que j'ai reconnu, évidemment, et qui m'a reconnu, et qui (ma tête à couper !) m'a clairement montré les cartouches avec un sourire entendu, avant de les enfouir dans la poche gauche de sa blouse grise. Un geste que j'ai vu trois fois : une première fois, c'était la boîte noire d'une télécommande, pendant que Cazeneuve ramassait l'A.M.X. 30, une autre fois un vibromasseur... et la troisième fois... non, la troisième fois, c'était un mouvement de torsion donné à un robinet de cuivre...

J'ai immédiatement reporté mon regard sur les deux flics qui me fixaient comme si j'étais le roi des empotés à rester là, l'œil dans le vague. Le plus petit a soulevé le sourcil et haussé l'épaule. « Eh ben quoi, mon pote, ta journée s'est arrêtée ? » C'était ça que ça voulait dire. J'ai de nouveau regardé le stand des armes avec insistance. Ils se sont alors retournés. Mais le petit vieux avait disparu. J'en ai éprouvé comme un soulagement.

Deux minutes plus tard, toujours aussi sourdingue, j'étais plongé dans les eaux profondes du sous-sol, naviguant à la recherche de Gimini Cricket. Gimini Cricket, c'est ça ! il avait exactement la bonne bouille marrante, camuse et toute lisse à force d'archivieillesse de Gimini Cricket ! Mes deux flics patrouillaient un peu plus loin, je ne pouvais que les *voir,* comme si mes yeux avaient été aimantés par leur évidence professionnelle.

La gueule qu'ils faisaient, chaque fois qu'ils croisaient mon regard ! Toutes les menaces du monde sur ces deux tronches décomposées.

Et plus trace de Gimini. Pour la première fois, j'ai réalisé à quel point étaient nombreuses les blouses grises de Théo. Et semblables, dans leur vieillesse. Innombrables, semblables et solitaires. Sans aucun contact les uns avec les autres, ces vieillards modernes. Théo ! Prévenir Théo qu'un de ses protégés a chouravé des munitions au stand de l'artillerie !

Théo était occupé à conseiller une grande bonne

femme, style Castafiore, dans le coin des papiers peints. Les bagouses de la dame exprimaient ses désirs, et la tête de Théo approuvait, approuvait encore. Il allait lui en fourguer plusieurs couches les unes sur les autres, de ses papiers peints !

J'ai donc mis le cap sur Théo, mais je n'étais pas au milieu de mon parcours que trois événements simultanés ont bouleversé mon programme. D'abord la vision bien nette de Gimini, à une dizaine de mètres de moi, vidant la poudre des cartouches dans l'étui métallique d'une mèche de perceuse, un œil à son boulot, l'autre sur moi, avec un sourire complice, et impossible à repérer pour les deux flics, perdu qu'il était parmi une demi-douzaine de petits vieux identiques, tous en plein bricolage. Ensuite, une puissante tape sur mon épaule qui a fait un « plop ! » dans ma tête, et enfin la voix tonitruante de Lecyfre qui a rempli tout le volume de mon crâne débouché.

— Et alors, Malaussène, tu rêves ou quoi ? Ça fait cinq minutes que les haut-parleurs te demandent au téléphone ! Très urgent, ta sœur, il paraît.

— Ben ?

— Louna ?

— Ben ! Oh ! Ben !

— Qu'est-ce qui se passe, Louna ? Qu'est-ce qu'il y a ? Calme-toi...

— C'est Jérémy.

— Quoi, Jérémy ? Louna, ma douce, calme-toi.

— Il y a eu un accident au collège, il faut que tu y ailles tout de suite. Ben... Oh ! Ben...

30

— Fort heureusement, votre frère était seul dans la classe.

(« Fort heureusement... »)

La cour centrale du collège n'est qu'une flaque fumante où gisent les carcasses torturées de tout ce qui résiste à un incendie. De longs tuyaux flasques serpentent parmi les débris. Une âcre odeur de plastique fondu stagne dans l'humidité ambiante. (« Mais le pas supportable, vous voyez, c'est les grands brûlés... une odeur qui ne vous lâche pas... on l'a dans les cheveux pendant quinze jours... ») Image sonore du petit pompier dans ma tête, et mes narines qui travaillent, travaillent pour me persuader que non, parmi les odeurs noires, aucune n'est une odeur de chair brûlée. Deux lances achèvent de noyer les débris calcinés. Les trois classes ont entièrement brûlé.

— Du matériau préfabriqué...

Une de ces saloperies faites en papier mâché, oui, qui flambent au moindre pet. Les pieds de table, les structures métalliques, fondus sous l'effet de la chaleur, se sont enchevêtrés et restent figés dans des postures grotesques. Maintenus à distance par les pompiers, les élèves oscillent entre le deuil, la rigolade et le souvenir encore intense de leur trouille.

— Par bonheur, cela s'est passé pendant la récréation.

(« Par bonheur... »)

Un des camions rouges commence à rembobiner ses tuyaux. La vision stupide d'une fourchette enroulant des spaghetti me traverse l'esprit.

— Il s'était isolé...

Des spaghetti traînant dans la sauce noirâtre des poulpes. Dans quelle région d'Italie, font-ils ça déjà ?...

— Le feu était trop avancé quand nous nous sommes rendu compte...

— Pourquoi n'était-il pas en récréation avec les autres ?

— Je ne saurais pas vous le dire.

— Vous ne sauriez pas me le dire ?

— Je crois savoir que c'était, je veux dire que c'est un enfant très indépendant.

(Il ne saurait pas dire, il croit savoir, il veut dire...)

— Le feu a vraiment pris très soudainement...

Oui, oui, je sais, soudainement, comme une allumette. Une allumette qui, à un poil près, aurait flambé une centaine de mômes. Mais « *fort heureusement* », il n'y avait que mon Jérémy, là-dedans.

— Fort heureusement, hein ?

— Pardon ?

— Vous avez dit « fort heureusement », non ? Et « par bonheur »...

— Je vous prie de m'excuser ?

Ses yeux prennent soudain la dimension de ses lunettes. Je me rends compte que je me suis dressé devant lui, penché sur lui, et qu'il se tasse dans son fauteuil.

Sur quoi, sonnerie du téléphone. Il décroche précipitamment, sans me quitter des yeux.

— Allô oui ? oui ? C'est cela, oui ?

(« C'est cela... » « fort heureusement »... « par bonheur »...)

— Hôpital Saint-Louis, oui, les Urgences, bien sûr, je vous remercie infinim...

Je ne suis plus dans son bureau quand il raccroche.

Laurent m'a précédé à Saint-Louis. Quand j'arrive il est en pleine discussion avec un petit toubib brun à l'œil vif. Du plus loin que je les vois, j'essaye de lire sur leurs visages. Je n'y vois rien d'autre que ce qu'on peut lire sur des têtes de professionnels quand deux vrais pros se rencontrent. Le grand blond et le petit brun, copains comme cochons dès les premiers mots. La fraternité du grand savoir. Et tout ça... Spectacle qui me rassure un peu, d'ailleurs. Si Laurent pactise avec ce toubib, c'est que Jérémy est entre de bonnes mains.

— Ah ! Ben, je te présente le docteur Marty.

Secouage de paluches.

— Ne vous affolez pas, monsieur Malaussène, on le tirera de là, votre fils.

— Ce n'est pas mon fils, c'est mon frère.

— Ça ne change pas grand-chose à son état de santé.

Il a sorti ça tout naturellement, sans sourire, et

sans me lâcher des yeux. Mais, derrière ses carreaux je vois une lueur de gaieté tout ce qu'il y a de rassurant. C'est en bricolant un sourire que je demande :

— Je peux le voir ?

— A condition que vous changiez de tête, je ne tiens pas à ce que vous lui sapiez le moral.

Curieux mec, le Marty. Il a parlé sur le même ton flegmatique, lointainement rigolard, mais j'ai la conviction que si je ne change pas de gueule, je ne verrai pas Jérémy.

— Si vous me disiez ce qu'il a...

— Brûlures diverses, l'index droit sectionné, la trouille de sa vie, mais il refuse obstinément de tomber dans les pommes. Il a choisi de faire rigoler les infirmières.

— Le doigt coupé ?

— On va le lui remettre en place, vite fait.

Drôle de truc, la confiance. Jérémy aurait-il perdu la tête, quelque chose me dit que le petit marrant à la parole nette la lui replacerait sur les épaules aussi sec. L'incarnation de la compétence. Et quelque chose d'autre, une humanité...

— Bon, ma tronche vous convient, maintenant ?

Il me défrime un bon moment, puis, se retournant vers Laurent :

— Qu'est-ce que vous en pensez, Bourdin ?

Il est nu dans l'espace. Son corps est couvert de marbrures qui croustillent sur les bords. Ses lèvres et son oreille droite ont pris des proportions de postiches. On lui a entièrement rasé le crâne. Et quand j'entre dans la petite piaule aseptisée, l'infirmière qui le veille est écroulée de rire. Mais, à y regarder de plus près, elle pleure en même temps. Lui, il jacasse, à toute allure, sans bouger d'un poil. Il a un tout petit corps. C'est vraiment un petit enfant, si on ne tient pas compte du volume de son langage.

Il faut que je m'approche tout près de lui pour qu'il remarque ma présence. Alors, il sourit. Le sourire dégénère en grimace de douleur. Puis, tous les traits reprennent leur place, avec précaution, dirait-on.

— Salut, Ben. Regarde, je me suis fait la tête d'Ed Cercueil !

L'infirmière lève sur moi des yeux noyés de chagrin et d'admiration.

— Je voudrais te parler seul à seul, Ben.

Et, comme s'il la connaissait depuis toujours :

— Marinette, est-ce que tu pourrais aller m'acheter un bouquin, hein ? Tu me feras la lecture, quand celui-là sera parti.

Je ne sais pas si elle s'appelle vraiment Marinette, mais elle se lève docilement et je l'accompagne jusqu'à la porte.

— Ne le fatiguez pas, chuchote-t-elle, dans dix minutes il passe en salle d'opération.

Elle ajoute dans un sourire attendri :

— Je lui ferai la lecture pendant l'anesthésie.

La porte se referme sur la lumière du couloir.

— Ça y est, tu es seul, Ben ?

— Je suis seul.

— Alors amène-toi, et assieds-toi, j'ai une grande nouvelle.

Je place une chaise tout contre son lit. Il attend un instant, savourant le suspense. Puis, n'y tenant plus :

— Ça y est, Ben, j'ai trouvé !

— Qu'est-ce que tu as trouvé, Jérémy ?

— Comment le « criminel » introduisait les bombes à l'intérieur du Magasin !

(Seigneur...) Pendant un bon moment, je n'entends plus que sa respiration encombrée et les battements de mon cœur. Puis je demande :

— Comment ?

— Il ne les introduisait pas, *il les fabriquait à l'intérieur* !

(En effet, il vaut mieux que je sois assis.)

— Sans blague ?

L'effort qu'il m'a fallu, pour dire ça, et sur ce ton enjoué !

— Sans blague ! J'ai essayé, ça marche.

« Essayé ? » Ça y est, je sens se pointer le pire. Le pire, avec son pas désormais familier.

— Ben, dans le Magasin, il y a tout ce qu'il faut pour faire sauter Paris, si on en a envie.

C'est vrai. Encore faut-il en avoir envie.

— Dans mon collège aussi.

Le silence qui suit... ça c'est du silence !

— Alors, j'ai tenté l'expérience.

— Nom de Dieu, Jérémy, quelle expérience ? Tu ne vas pas me dire que...

— Fabriquer une bombe *pendant les cours*, sans que personne s'en aperçoive.

(Si, il me l'a dit.)

— Tu prends n'importe quoi, du désherbant, par exemple, pour le chlorate de soude...

Et voilà que mon petit frère Jérémy, qui va gaillardement sur ses douze ans, me refile une délicate recette de bombe artisanale, s'excitant de plus en plus pendant son exposé, sa voix chevauchant celle de Théo dans ma mémoire. « Tu te rends compte, il y en a un qui s'est trimbalé toute la journée avec cinq kilos de désherbant dans les deux poches de sa blouse ! »

— Parle plus bas, Jérémy, calme-toi, il ne faut pas que tu te fatigues.

(Il ne faut surtout pas qu'on t'entende de l'autre côté de la porte, nom d'un chien ! Un frangin incendiaire. Mon frère est un enfant incendiaire ! Et moi, un pédagogue, un éducateur...)

— Tout avait marché comme sur des roulettes, Ben, et voilà qu'au moment où je la désamorce, pour la ramener à la maison et te la montrer, « la preuve accablante », tu comprends ? Voilà que cette saloperie me pète entre les mains.

(Et tu as foutu le feu à ton bahut, Jérémy ! Nom de Dieu, TU AS FOUTU LE FEU À TON COLLÈGE !)

— Mais enfin, tu me crois quand même, hein ?

Pour la première fois, sa voix tremble d'inquiétude.

— Hein, Ben ? Tu me crois, dis ?

Silence. Long silence. Je le regarde. Encore du silence. Et puis des larmes qui roulent de ses yeux aux cils brûlés.

— Et voilà, tu ne me crois pas. J'en étais sûr ! Oh ! Ben, tu sais bien que je ne t'ai jamais menti...

(Yahvé, Jésus, Bouddha, Allah, Lénine, Machin et les autres... qu'est-ce que je vous ai fait ?)

— Si, je te crois, Jérémy, ce sera le dernier chapitre de mon histoire, je le raconterai aux autres ce soir, le coup de la bombe fabriquée dans le Magasin, génial ! ce sera l'épilogue...

31

Je vis je meurs je me brûle et me noie
J'ai chaud extrême en endurant froidure
La vie m'est et trop molle et trop dure
J'ai grands ennuis entremêlés de joie

— Clara, quand tu récites, marque donc les temps. En poésie, les silences jouent le même rôle qu'en musique. Ils sont une respiration, mais ils sont aussi l'ombre des mots, ou leur rayonnement, c'est selon. Sans parler des silences annonciateurs. Il y a toutes sortes de silences, Clara. Par exemple, avant que tu ne te mettes à réciter, tu photographiais le chat blanc sur la tombe de Victor Noir. Suppose que nous nous taisions après que tu auras récité. Sera-ce le même silence ?

— Le « sera-ce », Benjamin, le « sera-ce » ? Je m'interroge...

Elle se moque gentiment, passe son bras sous le mien, nous continuons notre balade dans un Père-Lachaise ensoleillé où Clara vient de me faire remarquer que la quasi-totalité des chats sont noirs ou blancs. A la rigueur noir et blanc. Mais jamais colorés. Moi, je pense à Jérémy, dont on a ressoudé le doigt il y a dix jours et qui rentrera après-demain à la maison. Moi, je pense à Julia qui vient de passer des nuits à me remonter le moral (« mais non, ça n'a rien de *monstrueux*, Benjamin, l'enfance est expérimentale par nature, c'est très emmerdant, mais ce n'est pas monstrueux, et toi, tu n'y es pour rien, mon pauvre chéri, détends-toi, laisse-toi faire, ne m'accule pas à la théorie... »). Julia dont le parfum me protège encore. Moi, je pense au petit vieux que je n'ai plus revu dans le Magasin, qui doit sentir les regards convergents des deux flics. Et moi je pense à Clara, qui va passer son bac demain et qui ne semble pas avoir compris grand-chose à ce sonnet de Louise Labé.

— Louise Labé, ma chérie, revenons à Louise Labé, récite la deuxième strophe, et tâche de respecter les silences, l'examinateur t'en sera reconnaissant.

Tout à un coup je ris et je larmoie
Et en plaisir maint grief tourment j'endure
Mon bien s'en va et à jamais il dure
Tout en un coup je sèche et je verdoie

— D'après toi, de quoi parle-t-elle, Clara? Qu'est-ce que c'est que ce tremblement de tous les nerfs, ce séisme, ces courts-circuits?

— On dirait qu'elle est inquiète, inquiète et en même temps très sûre d'elle-même.

— Inquiétude et certitude, oui, tu y es presque, récite le vers suivant, rien que le suivant.

Ainsi Amour inconstamment me mène.

— L'Amour, ma Clarinette, c'est l'Amour qui nous met dans cet état, regarde ta sœur, par exemple.

Ici, elle s'arrête pile au milieu de l'allée, et me photographie.

— C'est toi que je regarde !

Puis :

— Qui était-elle, au juste, Louise ? Je veux dire par rapport aux autres de son époque, les Ronsard, les Du Bellay ?

— Elle était l'être le plus accompli de la Renaissance, la poésie la plus subtile et la barbarie musculaire la plus radicale. Elle maniait l'épée et se déguisait en homme pour participer à des tournois. Elle est même montée à l'assaut des murailles, au siège de Perpignan. Après quoi, elle taillait sa plume d'oie le plus fin possible pour écrire ça, qui enfonce toute la poésie de son temps.

— Il y a des portraits d'elle ? Elle était belle ?

— On l'appelait la Belle Cordière.

Ainsi se poursuit notre promenade, Clara photographiant, moi disséquant pour elle le sonnet sublime, elle me jetant des regards éblouis, et moi pensant, comme le Cassidy de Crosby, que si j'étais prof j'aimerais ce métier pour toutes sortes de mauvaises raisons, dont mon goût immodéré pour cette admiration naïve.

Après la tombe de Victor Noir c'est au tour du mausolée d'Oscar Wilde d'être bombardé. Théo en veut un agrandissement pour sa chambre à coucher. Foi de Clara, il l'aura.

Une fois Oscar Wilde mis en boîte, fin de la promenade, il est temps d'aller chercher le Petit à l'école. Dernière vision sur le chemin du retour : trois ou quatre vieilles marmonnant de sombres incantations sur la tombe d'Allan Kardek. (De quelles voisines veulent-elles le bien ?) Comme Clara s'apprête à les immortaliser, l'une d'elles se retourne et nous fait signe de nous tirer. Elle accompagne son geste griffu d'un sifflement de chat.

C'est à cette seconde précise qu'explose la quatrième bombe du Magasin.

La quatrième bombe...

Pendant mon jour de repos !

C'est une bombe tout ce qu'il y a d'artisanal : une charge de poudre à fusil comprimée dans une boîte à mèche + une petite bouteille de gaz (genre camping) + ..., etc. actionnée à distance par un système de mise à feu emprunté à un boîtier de téléviseur.

Une petite bombe.

Elle truffe de céramique un concessionnaire en meubles sanitaires d'origine allemande, qui pissait paisiblement dans les chiottes de l'exposition suédoise, au dernier étage (de très jolis gogues, vraiment blancs, très résistants — la porte n'a pas sauté — si parfaitement calfeutrés que personne n'a entendu la déflagration — un pet discret, sans plus) qui pissait, donc, le concessionnaire, la victime.

En contemplant une série de vieilles photos qu'il venait de coller aux parois de son pissoir !

« Malheureusement » un père de famille, celui-là. (Nombreuse.) Et plusieurs fois grand-père.

Peut-être même un collectionneur de timbres.

Néanmoins truffé de céramique immaculée. Et de ferraille. Et de chevrotine, aussi.

Et nu.

Nu ?

Comme un ver. De la tête aux pieds. A poil, quoi.

Déshabillé par la bombe ?

Non, par lui-même, avant l'explosion.

— Mais ce que nous aimerions savoir, monsieur Malaussène, c'est ce que faisait votre sœur Thérèse devant ces W.-C. scandinaves, figée comme une statue, jusqu'à ce qu'on en force la porte et qu'on découvre le cadavre. Voilà, c'est ce que nous aimerions savoir.

Moi aussi.

32

— Mais je t'avais prévenu, Ben !

Elle est debout, rigide comme le Destin, entourée de trois flics qui semblent sur le point de donner leur démission. Tout autour, la P.J. déploie une activité de ruche — si on admet que les abeilles tapent à la machine en fumant sèche sur sèche parmi les cadavres de canettes.

Bref, elle se tient debout dans ce bureau miteux, ma Thérèse, toute en coudes et en genoux, trop grande pour son âge, et de la voir là, dans la fumée qui stagne, parmi les mâles qui tournent, ça me fout un choc d'amour.

— Prévenu de quoi, ma toute petite ?

Le sosie de Pat les Pattes la boufferait toute crue s'il n'avait pas peur de se casser les dents. L'autre rêve sans doute de refaire sa vie avec une religieuse au chocolat. Ils sont l'image de l'abattement.

— En une heure, on n'a rien pu lui tirer de mieux !

Il y a un troisième poulet que je ne connais pas, un jeune blondinet qui en chialerait presque. « Je ne parlerai qu'à mon frère Benjamin, d'ailleurs, je l'avais prévenu. »

— Mais prévenu de quoi, bordel de merde ? s'était exaspéré, le blondinet.

Et comme il était vraiment très jeune, il avait ajouté :

— Tu vas te mettre à table, dis, morue ?

En désespoir de cause, ils ont dû attendre l'arrivée de Caregga, avec le suspect Number One, ma pomme, maintenant debout devant Thérèse, lui souriant fraternellement, pendant que d'autres flics perquisitionnent à la maison, foutent tout en l'air dans l'ex-boutique et dans ma chambre, avec une telle rage de *trouver* (trouver quoi ?) qu'ils sont bien capables d'ouvrir Julius en deux pour chercher aussi à l'intérieur.

— Prévenu de quoi, ma Thérèse ?

Elle sursaute et me regarde comme si elle se réveillait.

— Je t'avais dit le 28, le 3, le 11, ou le 7, *avec une très forte probabilité sur le 28.*

(Ah ! bon, ce n'était donc pas des numéros de chevaux...)

— Je l'ai même mis noir sur blanc, pour le cas où tu aurais une fois de plus contesté mes dires.

(« Contesté mes dires... » ça m'étonnait aussi, cet humour soudain...)

— Qu'est-ce que c'est que ces salades ? Vous essayez de nous endormir ou quoi ?

Le blondinet se donne des airs d'adulte couillu. Les deux autres attendent. Des portes claquent. On s'interpelle. La P.J. Ma petite Thérèse, nous sommes dans les locaux de la Police Judiciaire.

— Thérèse, veux-tu expliquer à ces messieurs de quoi nous parlons ?

— Tu reconnais que j'avais raison ?

(Ça, c'est ce qu'on appelle un « préalable ».)

— Oui, tu avais raison, Thérèse, je le reconnais.

— En ce cas, je veux bien expliquer à ces messieurs...

Une petite phrase qui suffit à immobiliser le décor. Le blondinet se glisse derrière une machine à écrire. Les oreilles des Quat'zieux grandissent imperceptiblement.

— C'est très simple, messieurs...

Elle debout. Eux assis. Le paysage a changé. Elle est le Maître, ils sont les moujingues qui rament pour piger.

— Très simple, n'importe lequel d'entre vous aurait pu aboutir aux mêmes conclusions. A condition de se donner un peu de mal.

Oui, elle commence comme ça, de sa voix aigre, sur le ton d'un cours à l'Ecole de police : « Exercice d'investigation astrale sur thématique de mort. »

Elle explique, sa longue tête osseuse émergeant des nappes de fumée, respirant ailleurs, comme toujours, elle explique à « ces messieurs » que le thème astral des quatre précédentes victimes indiquait clairement qu'elles devaient mourir de mort violente, le jour même de leur mort, ni la veille ni le lendemain, et en ce lieu géographique précis : le Magasin.

— Et le jour de ma retraite, c'est pour quand ? ironise le blondinet qui joue sans le savoir le rôle de Jérémy.

— Ta gueule Vanini, gronde le sosie de Pat les

Pattes en m'empruntant ma partition à moi, on a assez paumé de temps comme ça.

— Oublie-toi et prends sa déposition, n'importe quoi, même une recette de clafoutis, le patron ne va pas tarder à se pointer.

Et Jib la Hyène d'inviter poliment Thérèse à poursuivre.

— Pour ce qui était de la victime potentielle, la cinquième, continue Thérèse, ne connaissant ni son identité ni son âge, il s'agissait pour moi de raisonner non plus à partir des paramètres de sa naissance, mais en me basant au contraire sur un hypothétique point d'arrivée — ce que vous appelez « mort » et qui, bien évidemment, n'est que « passage » — puis, les bases d'un raisonnement déductif solidement établies sur cette plate-forme, tâcher de redescendre le cours du temps, jusqu'à découvrir le point d'émergence du sujet — ce que vous appelez « naissance » mais qui, bien entendu, n'est qu' « incarnation ».

Les Quat'zieux du commissaire Coudrier regardent devant eux comme s'il n'y avait pas de mur, pendant que le blondinet tape comme un dément sur la machine dont le ruban exsangue lâche des lettres pâles comme la mort. Thérèse est lancée.

— Or, compte tenu des dates d' « incarnation » des quatre précédentes victimes, de la nature des transits astraux qui furent le signe de leur « passage » au Magasin — ou, si vous préférez, de leur mort — il m'est apparu que, selon toute probabilité, le 28 de ce mois, et en ce même lieu, la mort violente devait intervenir par le transit de Saturne sur le Saturne radical.

Elle s'est levée tôt, ce matin, Thérèse. Elle a été la première cliente à franchir la porte du Magasin. Elle a frémi d'horreur aux caresses investigatrices d'un agent de police à moitié endormi. Elle a erré dans les allées encore désertes sous l'œil intrigué des vendeuses qui se refusaient à prendre cette silhouette inspirée pour une voleuse en maraude. Puis elle s'est perdue dans la foule, s'immisçant avec elle dans les moindres recoins du Magasin, attendant l'instant où la mort confirmerait ses déductions, mais redoutant aussi la justesse de ses raisonnements, car elle ne souhaitait la mort de personne, la pauvrette, « Ben, tu me crois, dis, tu sais que je ne t'ai jamais menti ! » (oui, exactement la même phrase que celle de Jérémy sur son lit d'hôpital) « je te crois, ma chérie, tu n'as jamais voulu de mal à personne, c'est vrai, continue, on t'écoute... », ne sachant pas où la mort frapperait, mais convaincue par une lumière obscure (le blondinet lève les yeux de sa machine, mais oui, « lumière obscure », c'est bien ce qu'elle a dit) que le moment venu, elle saurait le lieu et la seconde.

Et, « le moment venu », on a trouvé une jeune fille pétrifiée devant la porte close de ces doubles vécés venus du froid. Personne n'avait entendu l'explosion, l'étage étant d'ailleurs pratiquement désert à cette heure creuse de la soirée — dix minutes avant la fermeture des bureaux et le dernier afflux des clients.

C'est le chef de rayon en personne qui a repéré Thérèse. Un grand costaud à la voix fluette. Pensant qu'elle ne savait pas s'y prendre, il a essayé d'ouvrir la porte pour elle. Verrouillée de l'intérieur. Intrigué, il a attendu. Mais la grande bringue muette et tétanisée lui flanquait vaguement la trouille. Il a donc fait appel à la voie hiérarchique. Laquelle voie menait à la police.

Qui a forcé la porte.

Cadavre truffé.

Et petites photos sur les parois ensanglantées.

— Et tu sais, Ben, j'ai trouvé sa date de naissance exacte à la seconde où il est mort : le 19 décembre 1922.

La machine à mitrailler du blondinet s'enraye dans un hoquet de ferraille. Il jette un coup d'œil stupéfait à un passeport ouvert sur son bureau et lit à haute voix :

— Helmut Künz, ressortissant allemand, né à Idar Oberstein, le 19 décembre 1922.

— Je suppose que vous mesurez la gravité de la situation, monsieur Malaussène.

La nuit est avancée, maintenant. Caregga a raccompagné Thérèse à la maison. La P.J. elle-même s'est endormie. Seule, la lampe à rhéostat, dans le bureau du commissaire divisionnaire Coudrier, indique que la Maison continue à penser. Il est assis derrière son bureau, moi, debout devant lui. Pas d'Elisabeth, pas de petits cafés. Rien que l'« éducateur », face à l'autre « éducateur ».

— Parce que tout cela commence à constituer un fameux réseau de présomptions contre vous.

Léger accroissement de la lumière pour indiquer

la gravité du moment. (C'est d'une discrète pression du pied sur une poire ad hoc que le commissaire Coudrier crée ces variations de lumière. Je suppose que chaque flic a son truc à lui.)

— Et mes hommes ne comprendraient pas que je n'en tienne pas compte.

(Thérèse, Thérèse...)

— Je vais résumer la situation, si vous le voulez bien.

(Ce n'est pas que j'y tienne...)

Mais il la résume. En huit points qui tombent dans notre pénombre comme autant de chefs d'accusation.

1) Benjamin Malaussène, Contrôle Technique au Magasin, grande boutique piégée depuis sept mois par un tueur inconnu, se trouve présent sur le lieu de chaque explosion.

2) Quand ce n'est pas lui, c'est sa sœur Thérèse.

3) La dénommée Thérèse Malaussène, mineure, semble avoir prévu le moment et le lieu de la quatrième explosion — détail qui peut intriguer tout fonctionnaire de police rétif à l'astro-logique.

4) Jérémy Malaussène, mineur, itou, a incendié son collège au moyen d'une bombe artisanale dont un des composants chimiques au moins a déjà été utilisé par le tueur du Magasin.

5) La topographie du Magasin semble singulièrement intéresser la famille, si on en juge par le nombre de photographies trouvées dans le cartable de la cadette des sœurs, Clara Malaussène, délicieusement mineure, agrandissements photographiques découverts lors d'une perquisition opé-

rée au domicile de la famille, mandat délivré le..., etc.

6) Le plus mineur de tous les enfants Malaussène rêve depuis des mois d' « ogres Noël », thématique sinistre qui n'est pas sans rapport avec les photographies (non moins sinistres) découvertes sur les lieux de la dernière explosion.

7) La grossesse de la sœur Louna Malaussène, à peine majeure, infirmière, est à l'origine d'une rencontre entre Benjamin Malaussène et le professeur Léonard, victime de la troisième explosion.

8) Le chien de la famille lui-même (âge et race indéterminés) ne semble pas étranger à l'affaire, victime qu'il fut d'une crise nerveuse sur le lieu d'un des meurtres. (L'analyse des photos découvertes dans les wouataires de l'exposition suédoise, révèle, au moins sur l'une d'entre elles, la présence d'un chien atteint d'une affection similaire.)

Nouvel accroissement de lumière. Assis devant moi, le commissaire divisionnaire Coudrier semble le seul homme éclairé dans la nuit parisienne.

— Intéressant, n'est-ce pas, pour une équipe de policiers épuisés, et qui voudraient conclure ?

Silence.

— Mais ce n'est pas tout, monsieur Malaussène. Voudriez-vous jeter un coup d'œil là-dessus ?

Il me tend une enveloppe de papier renforcé, gonflée à craquer, et qui porte l'estampille d'une célèbre maison d'édition parisienne.

— Nous l'avons reçue avant-hier, j'attendais pour vous en parler.

L'enveloppe contient deux à trois cents pages dactylographiées. Le tout est décrété *roman*, intitulé IMPLOSION, et signé Benjamin MALAUSSÈNE. Un seul coup d'œil me suffit pour reconnaître le récit que je sers aux mômes depuis le début de l'affaire et qui a trouvé sa conclusion il y a quinze jours, avec l'aveu de Jérémy. Ma stupeur est telle que Coudrier croit devoir préciser :

— Nous avons trouvé l'original chez vous.

Il y a le grondement continu de Paris endormi.

Le ululement d'une voiture de police le traverse comme un mauvais rêve. Sur le bureau du commissionnaire Coudrier, la lumière décroît légèrement.

— Comprenez-moi bien, mon garçon...

(« Mon garçon... »)

— Vous ne bénéficiez plus que d'un seul atout : ma conviction intime. Conviction de votre innocence, cela va sans dire. Aucun de mes collaborateurs ne la partage. Les faire enquêter sur d'autres pistes dans ces conditions n'est pas chose facile. Si d'autres faits ne viennent pas étayer d'ici peu ma conviction...

Je les entends tomber l'un après l'autre, ces points de suspension ! Et c'est alors que je craque. Tant pis pour Théo. Tant pis pour le Zorro de service. Je déclare avoir vu un petit vieux à blouse grise faucher deux cartouches au rayon des armes et bourrer de leur poudre l'étui métallique d'une mèche de perceuse.

— Pourquoi ne pas l'avoir dit plus tôt ?

(Pourquoi, au fait ?)

— Vous auriez peut-être sauvé la vie d'un homme, monsieur Malaussène.

(C'est qu'il y a mon ami Théo, monsieur le Divisionnaire, mon ami Théo et son poireau vinaigrette.)

— Quoi qu'il en soit nous vérifierons.

Cela dit, me semble-t-il, sans grande conviction. En effet, puisqu'il croit devoir ajouter :

— Brûlez donc quelques cierges si vous voulez qu'on le retrouve...

33

— Mais tu te rends compte ? Tu te rends compte de ce que tu as fait ?

— Je voulais te faire une surprise, Ben.

— Bravo, c'en est une !

Difficile de décrire le degré de ma rage. Pourquoi faut-il que ce soit Clara, ma Clara qui ait eu l'idée de photocopier ce manuscrit, et de l'envoyer à *onze* maisons d'édition ? ONZE ! (11 !)

— Tu as tort de te mettre dans des états pareils ; c'est de très bonne qualité, tu sais, les policiers s'amusaient beaucoup en le lisant.

Etrangler Louna ? Etrangler Louna qui vient d'intervenir de sa voix rêveuse, les doigts croisés sur la demi-sphère de son imminente maternité ? Une seconde, je me pose la question.

— Surtout le portrait que tu fais de Coudrier-Napoléon, ça les faisait vraiment rire.

— Louna, je t'en prie, ferme-la. Laisse Clara s'expliquer.

(Mais qu'est-ce qu'ils ont dans le crâne, les enfants ? Et les ados ? Qu'est-ce qu'ils ont dans le cigare ? Sont-ce seulement ceux de maman qui sont fabriqués sur ce modèle ou sont-ils tous pareils ? Qu'on me renseigne, par pitié, n'importe qui, même un pédagogue, qu'on m'explique !) L'enquête n'est pas close, les flics m'ont à l'œil depuis des mois, Jérémy fout le feu à son bahut, et le lendemain de cette catastrophe, Clara envoie mon récit à onze éditeurs (Clara ! Onze !), mon récit, dont l'épilogue donne la recette de la bombe jérémiesque et le secret de sa fabrication intramuros ! POURQUOI ?

— C'était pour te consoler, Ben.

(Me consoler...)

— J'ai demandé son avis à Julia, elle était d'accord.

(A la bonne heure, ça ne fait jamais qu'une cinglée de plus dans mon intimité.)

— Et puis, c'est très drôle, Ben, je t'assure, les policiers étaient vraiment morts de rire.

(J'ai remarqué, oui, surtout Coudrier...)

— Alors comment expliques-tu le refus de l'éditeur, Louna ?

Parce que ce matin, sur le plateau du petit déjeuner apporté par Clara, j'ai reçu la première réponse. Un refus aimable, mais ferme. Le signataire reconnaît « l'incontestable fantaisie » du chef-d'œuvre, mais déplore « une structure quelque peu brouillonne » (tu parles !), s'interroge sur « l'opportunité d'une telle publication alors qu'une affaire similaire défraye actuellement la chronique » (moi aussi, je m'interroge) pour conclure que de toute façon, « ce type d'ouvrage n'a pas sa place dans notre programme de publication ».

(Encore heureux...)

— Ça ne veut rien dire, Ben, il reste dix maisons

d'édition ! Tu sais bien que ton défaut, c'est de ne jamais croire en ce que tu fais.

Le fauve en moi se fige. Son œil se porte sur le ventre de Louna. Il pense : « Dans une dizaine de jours, j'aurai aussi ces deux-là sur le dos. » Mes babines se retroussent. Mes crocs luisent dangereusement. C'est le moment que choisit Thérèse pour émettre une hypothèse d'une rare pénétration psychologique.

— Est-ce que tu ne serais pas tout simplement vexé par ce refus, Ben ?

(La retraite anticipée pour frère aîné, ça existe ?)

Ça, c'est pour le côté famille. Si maintenant on jette un œil côté boulot, c'est pas triste non plus, comme dirait Jérémy. Plus trace du vieillard à tête de criquet. Plus trace de flics. Je suis seul. Seul dans un champ de mines. Le moindre claquement de porte, un article un peu lourd qui dégringole d'un comptoir, un mot plus haut que l'autre, tout me fait bondir. Même la voix de Miss Hamilton. Au bord de l'évanouissement en permanence. Paranoïa aiguë.

Au Bureau des Réclamations, la détresse des clients me tire de *vraies* larmes, et Lehmann, qui perd un temps fou à me consoler, fait courir le bruit que je me suis mis à picoler.

— C'est vrai ? demande Théo, tu ne préfères pas te farcir le pif ? c'est aussi mauvais pour la santé, mais c'est meilleur pour le moral.

Et Sainclair, compréhensif :

— Vous faites une tâche déprimante, monsieur Malaussène, et pour tout dire, c'est un miracle que vous ayez tenu si longtemps. D'ici peu, nous vous trouverons une autre affectation. Tenez, la surveillance du rez-de-chaussée, cela vous irait ? Nous songeons à nous séparer de M. Cazeneuve.

Pourquoi le vieux Gimini Cricket a-t-il disparu ? Parce que je l'ai repéré ? Mais il faisait tout pour se faire repérer ! Sans l'accident de Jérémy, j'aurais participé à toutes les phases de son boulot d'artificier. Alors ? Parce qu'il me sentait surveillé par les deux flics de Coudrier ? Et ces deux-là, pourquoi se sont-ils évaporés, eux aussi ? Pourquoi n'ont-ils pas été remplacés par deux autres, couleur de muraille ? Il n'y a plus un seul flic, dans ce magasin. Ni Théo, ni ses petits vieux n'ont été interrogés. Qu'est-ce que c'est que cette solitude ? En vue de quoi ? J'ai besoin d'une bombe. J'ai besoin qu'une bombe pète. J'ai besoin de savoir où, quand, et qui ! J'ai un urgent besoin de mettre la main sur le salaud qui me fait porter le chapeau depuis des mois. J'en ai besoin. Faute de quoi je serai coffré à sa place. Pas de preuves, mais une montagne d'indices et de présomptions. De quoi m'envoyer au trou jusqu'à la majorité des jumeaux de Louna. Et qui les élèvera, ces petits cons ? Jérémy ? Il les initierait aux secrets de la bombe à neutrons ! Maman ? Maman...

— Maman, maman...

C'est dans les douches attenantes à nos vestiaires que Théo me surprend en train de sangloter comme un perdu : « Maman, maman... » hoquetant au-dessus du lavobo, m'inondant le visage d'eau froide et chialant comme un veau : « Maman, maman... »

désespoir doublé d'une litanie : « Père, pourquoi m'as-tu abandonné ? » qui remonte en spirale de ces temps enfouis du catéchisme où maman voulait me donner le Bon Dieu en guise de papa. « Maman, maman, pourquoi m'as-tu abandonné ? » Et Théo qui me console, comme jadis la Yasmina du vieil Amar, Théo que j'ai trahi en balançant son petit vieillard justicier...

— Un de mes vieux, tu dis ?

— Un de tes vieux, Théo, celui qui a une tête de criquet, celui qui maniait les robinets le jour du photomaton, c'était pour ça qu'il voulait t'en éloigner, pour que tu ne risques pas d'être blessé par l'explosion... je l'ai balancé aux flics, Théo, trop de présomptions contre moi...

La main de Théo ferme le robinet, et, puisqu'on est en pleine catéchèse, c'est d'un geste biblique qu'il m'essuie le visage, l'ami Théo. Tout juste si je ne vois pas ma jolie gueule s'imprimer à l'envers sur la serviette-éponge...

— Ce n'est pas si grave, Ben, de toute façon, avec les photos des chiottes suédoises, les flics tenaient déjà le bon bout.

— Comment s'appelle-t-il, ce vieux ?

— Aucune idée. Je ne les nomme pas, moi, je les surnomme.

— Où est-ce qu'il crèche ?

— Va savoir... un foyer quelconque, ou une piaule de bonne.

— Pourquoi a-t-il disparu ?

— D'après toi, pourquoi est-ce qu'on disparaît, à cet âge, Ben ?

— Tu crois qu'il est mort ?

— Ça leur arrive, oui, et ça surprend toujours, avec leurs gueules d'éternité.

— Théo, *il ne faut pas* qu'il soit mort !

(« Brûlez quelques cierges, si vous voulez qu'on le retrouve »...)

— Il y a une autre hypothèse...

— Oui ?

— Qu'il ait rempli son contrat, Ben, qu'il ait effacé tous les ogres, et qu'il se soit évanoui dans la nature.

34

Pendant plus d'une semaine, Julia, Théo et moi avons fureté dans l'underground du quatrième âge parisien, Théo guidé par ses propres vieillards, Julia par son seul instinct de fouineuse, et moi suivant tour à tour l'un ou l'autre, trop pétrifié pour prendre la moindre initiative, mais trop affolé pour rester loin du théâtre des recherches. Tout y est passé, des succursales les plus désolées de l'Armée du Salut aux clubs de bridge les plus huppés, en passant par une flopée d'associations à buts éminemment lucratifs : dortoirs bondés, chiottes à la turque, soupe transparente, directrices opaques, eau stagnante à tous les étages. Chaque jour rapprochait Théo du suicide et Julia de son prochain article.

— Ben, j'ai découvert quelque chose !

(Coup d'espoir dans mon vieux cœur.)

— Quoi, Julia, quoi ?

— Le trafic de drogue du siècle. Tous ces petits vieux sont la proie des dealers !

(Je m'en fous, Julia, je m'en tape, trouve-moi *mon* vieux, *à moi*, laisse un peu tomber le métier, bon sang !)

— Ils se shootent comme des perdus, Ben. Faut les comprendre, ils ont tout à oublier, même l'avenir, et quand ils ne veulent pas oublier, c'est qu'ils veulent se souvenir : double dose !

Elle était complètement allumée, et je savais par expérience que rien au monde ne pourrait éteindre cet incendie.

— D'autres que moi l'ont pigé depuis longtemps. J'ai repéré certaines transactions... Crois-moi, le vrai marché des stups, c'est là qu'il se tient !

(Comme si c'était le moment de venir ajouter un sujet de plus à mes inquiétudes...)

— Fais gaffe à toi, Julia, sois prudente.

Mais non, elle était lancée.

— Forcément, avec les toubibs qui ne leur donnent jamais la dose suffisante pour calmer leurs douleurs...

(Julia, par pitié, occupe-toi de moi. MOI D'ABORD, Julia !)

— Et tout ça avec la bénédiction des autorités, parce qu'un vieux qui clabote d'une overdose, c'est jamais qu'une ruine qui s'effondre.

Petit à petit, Théo s'est mis à recruter pour le Magasin, Julia à creuser pour son article, et je me suis retrouvé seul avec mon problème. Seul avec la petite phrase de Théo dans ma tête vide : « à moins qu'il ait rempli son contrat, Ben, et qu'il se soit évanoui dans la nature »...

Non, Gimini Cricket n'avait pas rempli son contrat. Il lui restait encore un ogre à exécuter. Le sixième. Le dernier. C'est lui-même qui me l'a dit. Hier soir. En venant s'asseoir sur la moleskine d'un métro nocturne, là, juste en face de moi, tout naturellement, alors que je désespérais de le retrouver jamais. Mon tout petit vieux à tête de criquet.

Je passe sur la surprise pour entrer direct dans le dialogue.

— Le dernier ?

— Oui, jeune homme, ils étaient six. Six qui se faisaient appeler « La Chapelle des 111 ».

— Pourquoi des cent onze ?

— Parce que 111 que multiplient 6 font 666 qui est le chiffre de la Bête, 111 devant être le nombre des victimes immolées.

Il a eu un sourire où perçait une sorte d'indulgence.

— Oui, des chiffres symboliques, jeune homme, des bêtises. La pire des monstruosités ressortit toujours à l'enfantillage.

Bien. Revenons à la surprise, tout de même. Il s'est donc assis en face de moi, Gimini le criquet. Il a placé son index sur ses lèvres pour que je ne laisse pas échapper le cri de ma surprise.

Il a souri.

Il a dit :

— Oui, c'est bien moi.

En dehors de nous, il y avait trois endormis dans le wagon. Je venais de quitter Stojil qui n'avait pas pu grand-chose pour mon moral. Stojil qui s'était contenté de me répéter, inlassablement :

— Il n'est pas loin, mon petit, crois-moi : tout vrai tueur devient à lui-même son propre fantôme.

— Qu'est-ce qu'un vrai tueur, Stojil ?

— Un tueur sans faim.

Eh bien ! je le tenais mon tueur sans faim, là, assis devant moi.

Il s'était installé comme un nain sur un trône, tortillant des fesses pour atteindre le dossier. Ses jambes battaient le vide, comme celles de mes petits sur leurs plumards superposés. Et ses yeux brillaient du même éclat que les leurs. Il ne portait plus sa blouse grise d'orphelin, mais un tergal de son âge, tombant dans les stricts plis de sa condition. Le macaron pourpre d'une Légion d'honneur clignotait à sa boutonnière. Il s'est mis à me raconter sans prendre la peine d'introduire. Pas une seconde il n'a pensé que je pouvais lui sauter dessus, le saucissonner, et le livrer franco de port à Coudrier. Pas une seconde l'idée ne m'en est venue. Il grandissait en racontant, je rapetissais en écoutant. Histoire sans surprise, au bout du compte. Et racontée sans souci de l'effet. Direct dans le vif du sujet. (Un vif qui répandait un furieux parfum de charogne !) 1942 : fermeture du Magasin pour cause de pogrom européen. Six mois tout de même de chicanes juridiques. Les propriétaires s'acharnaient à se défendre, et la civilisation jouait à maintenir les formes. Mais six mois qui conduisirent, bien sûr, à la gueule béante des crématoires : « l'Histoire a tranché », comme disait ce faux cul de Risson planqué derrière la muraille de ses livres. Exit le Conseil d'administration.

1942 : Six mois durant lesquels le grand magasin est abandonné à la silencieuse pénombre de sa profusion. Marchandises dormant du sommeil de la guerre, et, tout autour, le cordon noir de la milice. Certains idéologues à chemises brunes prétendaient même maintenir le Magasin fermé comme une tombe jusqu'au jour anniversaire du Millénaire national-socialiste.

— Ils en parlaient comme si c'était demain, jeune homme, convaincus qu'en dévorant l'Europe, ils avaient annexé le Temps.

Et de fait, au bout de quelques semaines, le grand magasin était confit dans un mystère pharaonique. Son immobilité aveugle générait des rumeurs comme un cadavre ses parasites. Les bruits les plus divers couraient sur le mouvement secret de ses entrailles. Pour les uns, il était un haut lieu de la Résistance, pour d'autres le champ expérimental des tortures gestapistes, pour d'autres encore, il n'était rien que lui-même, le musée clos d'une histoire morte, devenue soudain étrangère. Dans tous les cas, on le regardait comme si on ne le reconnaissait plus.

— Rien ne devient plus vite légendaire qu'un lieu public brutalement soustrait à la fréquentation populaire !

Oui, en ce temps-là, l'imagination avançait à grands pas sur le champ infini des légendes. Quelques mois seulement, et un millénaire s'était bel et bien écoulé dans toutes les mémoires.

C'était le temps de cette éternité fulgurante que vivaient les six ogres de la « Chapelle des 111 », dans le secret de cette pénombre gorgée de marchandises fossiles.

— Qui étaient-ils ?

— Vous le savez comme moi. Six individus d'horizons divers, rassemblés dans le même mépris pour ce que Aleister Crowley appelait les « sordides avortons du xxe siècle », mais bien résolus à jouir le plus complètement possible du bouleversement de la fourmilière.

— Le Professeur Léonard en faisait partie ?

— Il en était. C'est lui, surtout, qui se réclamait d'Aleister Crowley. Un autre s'apparentait à Gilles de Rays, et ainsi de suite, tous rassemblés dans un syncrétisme démoniaque qu'ils prétendaient être l'âme de leur temps. C'est cela, jeune homme, ils étaient *l'âme de leur époque,* une âme qui se nourrissait de chair vive.

— D'enfants ?

— Et d'animaux parfois, dont un chien que Léonard égorgea de ses propres dents.

(C'est donc ça que ton âme a flairé, mon vieux Julius ! Si je le raconte, personne ne me croira...)

— Comment se procuraient-ils leurs victimes ?

— En temps de famine, Gilles de Rays ouvrait ses celliers pour attirer les enfants. Eux leur offraient le Royaume des Jouets.

(Les ogres Noël...)

— La plupart de ces enfants étaient confiés par leurs parents menacés à une filière sûre qui devait les faire passer en Espagne, aux Etats-Unis, loin des massacres en cours. En fait, la filière se perdait dans la nuit du Magasin. Et c'est le sixième homme, le dernier, le pourvoyeur d'enfants, qui va mourir maintenant.

— Quand ?

J'ai posé la question comme on sursaute,

convaincu, à la même seconde, que rien au monde ne pourrait lui arracher la réponse.

— Le 24 de ce mois.

Il m'a regardé en souriant. Il a répété très posément.

— Le 24, à 17 h 30, au rayon des jouets. Et vous y serez, jeune homme. Le Commissaire Divisionnaire Coudrier aussi, j'imagine.

Il nous a fait changer six fois de métro, mon Gimini. Dans les couloirs de céramique, ses pas ne produisaient aucun écho. C'est alors seulement que j'ai remarqué ses charentaises. « L'âge... » a-t-il murmuré avec un sourire d'excuse.

Il a répondu à toutes mes questions. Dont la seule, l'unique, celle qui les contient toutes :

— Pourquoi m'avez-vous associé à cette vengeance ?

Le métro bringuebalait du côté de la Goutte d'Or. Des Noirs dodelinaient dans la nuit. Têtes endormies sur épaules vigilantes.

— Pourquoi moi ?

Il m'a regardé longuement, comme s'il consultait un registre intérieur, et il a enfin répondu :

— Parce que vous êtes un saint.

Comme je lui renvoyais un regard de bœuf, il a développé le concept.

— Vous faites un travail admirable dans ce magasin, un travail *d'une totale humanité.*

(Tu parles...)

— En vous chargeant des fautes de tous, en prenant sur vos épaules tous les péchés du Commerce, c'est en saint que vous vous comportez, voire en Christ !...

(Jésus ? Moi ! Doux Jésus...)

— Je vous ai attendu si longtemps...

Toutes les petites flammes de la Pentecôte se sont brusquement allumées dans ses yeux. Et c'est ainsi, tout enluminé de l'intérieur, qu'il m'a expliqué pourquoi il me faisait péter ses bombes sous le nez. Selon lui, l'élimination du mal absolu, devait avoir lieu sous les yeux de son symétrique, le bien intégral, le Bouc Emissaire, symbole de l'innocence persécutée : mézigue. Oui, il *fallait* que le Saint assistât à l'anéantissement des démons.

— Vous témoignerez, jeune homme, vous êtes le seul dépositaire de la vérité, le seul à en être digne !

Inutile de dire qu'immédiatement après avoir lâché mon criquet dans la nuit parisienne, je me suis rué dans une cabine téléphonique pour appeler Coudrier. Il a écouté sans piper, puis il a dit :

— Quand je vous disais que vous exerciez un métier dangereux...

(Plus pour longtemps, parole de saint !)

— Vous dites le 24 à 17 h 30 au rayon des jouets ? Ça nous mène à jeudi. J'y serai, tâchez d'y être aussi, monsieur Malaussène.

— Pas question !

— Alors rien n'aura lieu et vous serez toujours le suspect favori de mes hommes.

Compris. Je lui demande encore :

— Vous avez une idée sur l'identité de la dernière victime, ce pourvoyeur d'enfants ?

— Pas la moindre. Et vous ?

— Il a juste dit que cela me surprendrait.

— Soit. Attendons la surprise.

Julius m'attendait au pied de mon lit. Julius qui avait eu plus de pif que moi, dans toute cette affaire. Julius qui avait répondu à toutes les questions. Julius auquel je n'avais pas encore donné son bain. J'ai caressé sa tête pensante, et j'ai laissé tomber la mienne de très haut sur mon oreiller. Elle y a rencontré la gifle froide d'une revue à couverture glacée.

C'était le numéro d'*Actuel*.

Celui qui racontait la vie du Saint. Enfin paru !

J'ai ouvert aux pages qui me concernaient, et pour tout dire, j'ai éprouvé un sentiment plutôt mitigé. Si jamais mon vieux Zorro à Légion d'honneur lisait ça, il lui faudrait réviser mes saintes mensurations.

D'un autre côté, jubilation intense en imaginant la gueule de Sainclair. Et joie totale à l'idée d'être viré, enfin débarrassé de ce boulot purulent. Parce que, enquête ou pas, il allait bien être obligé de me virer, Sainclair, maintenant !

Pour la première fois depuis longtemps (et malgré la perspective du jeudi suivant) je me suis endormi comme un homme promis au bonheur.

35

— Vous avez des enfants, Malaussène ?

Pas un trait de son visage ne bronche. Il m'a reçu dans son bureau, comme la dernière fois. Mais il ne me propose pas de whisky, ni de cigare. Pas même un siège. Et ce coup-ci, il ne se félicite de rien, Sainclair. Il demande juste :

— Vous avez des enfants ?

— Je ne sais pas.

— Vous auriez intérêt à vous renseigner, parce que je vais vous foutre au cul un procès que vous allez perdre et qui vous ruinera jusqu'à la septième génération. Il serait honnête de prévenir les héritiers éventuels.

Le numéro d'*Actuel* est ouvert, devant ses yeux, mais c'est moi qu'il regarde.

— Que vous crachiez dans la soupe est une chose somme toute courante. De toute façon, cela vous aurait coûté cher. Mais après avoir vidé votre gamelle...

Il se livre à un rapide calcul mental...

— Ce sera hors de prix, monsieur Malaussène.

Le sourire que je voulais effacer revient sur son

visage avec l'élastique aisance de la fameuse adaptation. Celle qui fera toujours défaut au foutu saint que je suis.

— Parce que vous avez signé un contrat, figurez-vous, un contrat qui définit clairement le rôle du Contrôle Technique. Et, le moment venu, vous trouverez en face de vous 855 employés qui affirmeront tous — avec la meilleure foi du monde — que vous n'avez jamais rempli correctement votre tâche, que vous préfériez vous en tenir à ce rôle abject de martyr, né de votre propre cervelle malade, et que si la maison a commis une seule faute, c'est celle de vous avoir conservé dans ses rangs.

Un temps.

— Depuis trois ans que j'ai pris la direction du Magasin, monsieur Malaussène, aucun employé n'a été licencié.

Il répète, dans un épanouissement du même sourire :

— *Aucun.*

(C'est pourtant vrai, qu'il n'a qu'un seul sourire.)

— Voilà pourquoi nous vous gardions parmi nous.

Et, dans sa voix, maintenant, autre chose. Qui fait toute la force des Sainclair du monde entier : *il y croit.* Il croit dur comme fer à la version qu'il vient de mettre sur pied. Elle n'est pas *sa* vérité, elle est *la* vérité. Celle qui fait tinter la clochette des caisses enregistreuses. La seule.

— Autre chose encore.

(Oui, Sainclair ?)

— A votre place, je raserais les murs, parce que si j'étais un des clients qui ont eu affaire à vous dans les six derniers mois, il me semble que je chercherais à vous retrouver... J'y mettrais le temps qu'il faudrait.

(En effet, je vois un dos se dresser devant moi. Un dos à provoquer des éclipses de soleil : « Te laisse pas bouffer le foie par ces fumiers, petit, attaque ! »)

— C'est tout.

(Quoi, tout ?)

— Vous pouvez vous en aller. Vous êtes viré.

C'est là que je déconne, en murmurant d'un air finaud :

— Mais vous m'avez dit que la police interdisait les mouvements de personnel pendant l'enquête...

Eclat du beau rire directorial :

— Vous plaisantez ! Je vous ai menti, Malaussène, tout simplement, dans l'intérêt de la Maison, s'entend ; vous vous acquittiez parfaitement de votre rôle et je ne voulais pas de votre démission.

(Bien. Bien, bien, bien... Baisé, quoi. Il m'a baisé.)

Et, en me raccompagnant aimablement à la porte :

— D'ailleurs, nous ne vous perdons pas tout à fait : vous nous faisiez économiser beaucoup d'argent, maintenant vous allez nous en rapporter davantage.

Voilà ce que c'est. On se prépare à la jouissance du siècle, et, le moment venu, elle a un goût de Fernet Branca. Sur ce point comme sur quelques autres, Julia a raison : ne jamais investir dans la promesse du plaisir. Tout de suite ou pas du tout.

Demandez donc à ceux d'en face qui marnent pour l'avènement de l'Avenir Radieux...

Ainsi philosophé-je en passant sous le dernier regard de Lehmann. Ah ! ce regard d'homme trahi qu'il me lance de sa cage transparente pendant que l'escalator me plonge au plus profond des abysses... Honteux ! Honteux, je suis, alors que je devrais être tout jouasse !

Je suis tellement dans le cirage que je manque me casser la gueule quand l'escalator atteint ce qui ne bouge jamais. Et, quand je reprends mon équilibre (rigolade des petites vendeuses de jouets), c'est pour entendre la voix de miss Hamilton vaporiser, dans un sourire tout neuf :

— M. Cazeneuve est demandé au Bureau des Réclamations.

Les horaires de la vie devraient prévoir un moment, un moment précis de la journée, où l'on pourrait s'apitoyer sur son sort. Un moment spécifique. Un moment qui ne soit occupé ni par le boulot, ni par la bouffe, ni par la digestion, un moment parfaitement libre, une plage déserte où l'on pourrait mesurer pénard l'étendue du désastre. Ces mesures dans l'œil, la journée serait meilleure, l'illusion bannie, le paysage clairement balisé. Mais à penser à notre malheur entre deux coups de fourchette, l'horizon bouché par l'imminente reprise du boulot, on se gourre, on évalue mal, on s'imagine plus mal barré qu'on ne l'est. Quelquefois même, on se suppose heureux !

C'est à quoi je rêvais, allongé sur mon plumard,

Julius me prêtant sa chaleur, il y a deux secondes, quand le téléphone a sonné. J'étais bien. J'étais en train d'arpenter l'exacte surface de ma panade, en ruminant le singulier goût de défaite que venait de prendre ma victoire sur Sainclair. J'allais avoir dans l'œil les mesures parfaites de mon jardin de malheur, quand cette putain de sonnerie a brouillé d'un coup tous mes calculs, suscitant le geste le plus nourri d'illusion qui soit : décrocher un téléphone.

— Ben ? Louna est arrivée à terme.

« Arrivée à terme »... il n'y a que Thérèse pour prononcer des formules pareilles. Quand je casserai ma pipe, au lieu d'être bouleversée par ma mort, elle se déclarera « très affectée par le décès de son frère aîné ».

Bon. Louna est « arrivée à terme ». J'ai pris l'adresse toute blanche de la clinique, je me suis laissé dégringoler dans le métro, j'ai saisi la barre, et maintenant j'attends que ça passe. Il y a quelque chose qui palpite en moi, à l'idée de découvrir la bouille toute neuve des jumeaux. (Une pour deux ?) Quelque chose qui se met bientôt à cogner aussi puissamment qu'il y a cinq ans à l'apparition du Petit, et plus loin derrière elle à celle de Jérémy, et plus loin encore à celle de Clara — c'est moi qui l'ai accueillie, celle-là (la sage-femme était bourrée et le toubib s'était tiré avec la caisse) moi qui ai largué sa petite amarre et qui lui ai fait les honneurs de la maison à ma Clara, avec maman en toile de fond, qui répétait déjà : « Tu es un bon fils, Benjamin, tu as toujours été un bon fils... »

Oui, c'est du bonheur que je ressens. Enfin, une sorte. Toutes les mesures que j'avais prises, allongé sur mon lit, sont bel et bien brouillées. Efforçons-nous de penser juste, pourtant. « Louna est arrivée à terme » : pudique optimisme pour désigner ce qui est en fait le début de nouvelles catastrophes. Parce que des jumeaux, ne nous leurrons pas, c'est deux bouches de plus à nourrir, quatre oreilles à distraire, une vingtaine de doigts à surveiller, et des états d'âme en pagaille à éponger, encore et encore ! Tout cela avec le procès de Sainclair qui se profile, la ruine à l'horizon, la prison peut-être, le déshonneur en tout cas, et (à moi, Zola !) la déchéance alcoolisée. Que dalle ! Dès qu'ils auront cinq ans, je les foutrai au turf, les jumeaux ! Voilà ce que je ferai ! Amputations et mendicité ! Et que ça rapporte, hein ! Si vous voulez bouffer autre chose que vos assiettes vides !

Pourquoi la « réalité » s'oppose-t-elle à tous mes projets ? Pourquoi la vie me contrecarre-t-elle ? C'est la question que je me pose, debout au chevet de Louna dans la clinique piaillante et fleurie, l'œil posé sur Laurent qui serre ma sœur dans ses bras « mon amour chéri, mon amour chéri » puis qui s'aplatit le museau contre l'aquarium aseptique, conçu pour protéger les enfants contre la voracité des pères, et qui beugle :

— J'ai trois Louna, trois Louna, Ben ! J'en avais une, j'en ai trois !

(Ce ne sera pas pour le prix d'une, crois-moi !)

Et ça se termine chez Koutoubia, Amar nous

servant à tous le couscous aux frais de la maison, comme toujours quand je m'amène porteur d'une naissance.

— J'ai découvert une chose importante, Ben (c'est Laurent qui philosophe avec l'aide autorisée d'un Mascara à 16°) c'est que la réalité est toujours plus supportable que le phantasme, même si elle est pire ! Je voulais pas de môme, j'en ai deux, eh ! bien là n'est pas l'horreur, l'horreur, Ben, c'est d'avoir eu si peur de cette merveille. (Soupirs...) Oh ! Ben, comment ai-je pu faire ça à Louna ? (Sanglots...) Casse-moi la gueule, Ben, je t'en supplie, casse-moi la gueule, fais-le pour ta sœur ! (auto-fustigation, chemise déchirée...)

— Un coup de Mascara ?

— Oui, il est pas mal du tout, cette année.

— Ben ?

La main de Julia s'enroule autour de ma cuisse.

— Clara m'a dit, pour l'histoire du procès, ne t'inquiète pas, Sainclair t'a chambré. S'il y a procès ce sera contre le journal, et si le juge est vraiment très méchant, il nous collera un franc de dommages et intérêts.

— Ancien le franc, pré-gaullien, un micro-franc, précise Théo dont l'œil caresse les fesses de Hadouch.

Une soirée qui ronronne, Clara coupant la viande de Jérémy, Thérèse rivée au scopitone où elle programme inlassablement l'enterrement d'Oum Kalsoum, le Petit initiant Julius au rituel du thé à la menthe, Amar nous annonçant pour la centième fois la proche destruction de son restaurant par l'érection du New Belleville.

— Je suis triste pour toi, Amar.

— Pourquoi ? Le repos est une bonne chose, mon fils.

Et de me raconter à nouveau comme il profitera de la retraite pour soigner ses rhumatismes en s'immergeant dans les sables du sud saharien. (La tête blanche d'Amar, le Sahara autour du cou...)

Et c'est à la fin des fins (Laurent ivre mort endormi dans son assiette, Jérémy et le Petit roulés en boule dans la fourrure de Julius qui les couve, Théo depuis longtemps disparu avec Hadouch, Thérèse métamorphosée en derviche tourneur, la main de Julia annonçant l'imminence de l'assaut final), que Clara, ma Clara annonce la grande nouvelle :

— J'ai une surprise pour toi, Benjamin.

36

La surprise (suis-je bien certain d'aimer encore les surprises ?) a pris la forme d'un télégramme. Le télégramme, émanant d'une prestigieuse maison d'édition (si je ne la cite pas, c'est pour qu'elles s'entre-dévorent...) est rédigé en ces termes, d'une concision quasi comminatoire :

« TRÈS INTÉRESSÉS, VOUS PRÉSENTER DE TOUTE URGENCE. »

Pas désagréable de découvrir qu'on est un génie malgré soi. Assez jouissif de penser que quelques mois d'un bavardage inconséquent, destiné à une bande d'enfants insomniaques et à un chien épileptique, dactylographié par une secrétaire sans nuance, posté par une commissionnaire irresponsable, suffisent à faire saliver un dragon de l'édition.

C'est ce que je me suis dit en me réveillant. C'est ce que je me suis dit dans le métropolitain. C'est ce que je continue à me dire maintenant que je poireaute dans l'immensité de ce (bureau ? salon ? salle de conférences ? champ de courses ?) où les lambris mordorés de l'Histoire s'acoquinent avec l'audacieuse géométrie d'un mobilier avenir. Alu et stuc, dynamisme et tradition, une maison gavée de passé et qui bouffera le futur, j'aurais pu tomber plus mal.

L'amabilité empressée du gommeux qui m'a accueilli me confirme dans la certitude qu'on n'attend que moi, ici. Plus personne ne roupille depuis le départ du télégramme. Quelque chose, dans l'air, me dit qu'on a cessé de respirer.

« Et si Malaussène allait refuser ? »

Vent de panique sur table de conférence.

« S'il avait reçu d'autres propositions ? »

« Nous quintuplerions la mise, messieurs... »

(IMPLOSION... pas si mauvais que ça, le titre de Clara.)

— Je vous sers quelque chose ?

Le gommeux a fait surgir un minibar du fondement d'une bibliothèque.

— Scotch ? Porto ?

(Ce serait l'heure d'un petit porto, non ? Si.)

— Café.

Qu'à cela ne tienne : café. Silence entendu. Jambes croisées. Long regard du gommeux. Ronde argentée de ma petite cuillère.

— Remarquâble, vraiment, monsieur Malaussène.

(Remarquable ne prend pas d'accent circonflexe.)

— Mais je ne suis pas autorisé à vous en dire davantage.

Rire léger.

— C'est un privilège que se réserve notre Directrice littéraire.

Léger rire.

— Une personnalité remarquâble, vous verrez...

(Elle aussi ?)

— Entre nous, nous l'appelons familièrement la Reine Zabo.

(Va pour la Reine Zabo, nous sommes entre nous.)

— Une sagacité dans le jugement, et une franchise dans le propos...

Ombre d'hésitation, puis, un demi-ton plus bas :

— Tout le problème vient de là, justement.

(Le problème ? Quel problème ?)

Sourire, toussotement, signes extérieurs de l'embarras distingué, puis, tout à trac :

— Bien, je vais annoncer votre présence.

Exit le gommeux. Ça fait une demi-heure. Une demi-heure que j'attends l'apparition de la Reine Zabo. Je me suis d'abord dit que les bouquins me tiendraient compagnie, j'ai modestement fait face à la bibliothèque, j'ai tendu la main avec respect, j'ai tiré un volume avec précaution : couverture vide. Pas de bouquin à l'intérieur.

J'ai essayé ailleurs : idem.

Il n'y a pas un seul livre dans la pièce ! Rien que cet étalage de jaquettes peinturlurées. Pas de doute, tu es bien chez un éditeur, Malaussène.

Je me console en calculant combien peut me rapporter la publication d'un best seller. Si on tient compte de tout : droits de cinéma, de télévision, de lectures radiodiffusées, c'est incalculable. Si l'on s'en tient au minimum, ça dépasse encore largement mes facultés arithmétiques. Dans tous les cas de figure, j'ai eu raison de me débarrasser de ce boulot pourri de Bouc Emissaire. En trente ans de maison, il ne m'aurait pas rapporté le dixième !

C'est cet instant de bonheur que choisit la Reine Zabo pour faire son entrée. La Reine Zabo !

— Ah ! bonjour, monsieur Malaussène !

C'est une longue bonne femme squelettique sur qui on a planté une tête obèse.

(Bonjour madame...)

— Non, ne bougez pas, d'ailleurs je ne vous retiendrai pas longtemps.

Une voix criarde qui ne s'embarrasse pas de formules.

— Alors ?

Elle a hurlé son « alors ? » et ça m'a fait sursauter. (Alors quoi, Majesté ?) Je dois lui opposer une bobine passablement ahurie, parce qu'elle éclate d'un grand rire joufflu. Incroyable, on dirait vraiment que sa tête est tombée par hasard sur son corps !

— Ah ! non, monsieur Malaussène, pas de malentendu entre nous, ce n'est pas pour votre livre que je vous ai fait venir, nous n'éditons pas ce genre de fadaises !

Le gommeux, dans le rôle du Page, toussote. La Reine Zabo se retourne tout d'une pièce :

— Quoi, fadaises, non ? C'était bien votre avis, Gauthier !

Puis, de nouveau à moi :

— Ecoutez, monsieur Malaussène, ce n'est pas un livre, ça, il n'y a aucun projet esthétique, là-dedans, ça part dans tous les sens et ça ne mène nulle part. Et vous ne ferez jamais mieux. Renoncez tout de suite, mon vieux, là n'est pas votre vocation !

Le Page Gauthier aimerait être invisible. Moi, elle commence à m'animer les intérieurs, la Reine Zabo.

— Votre vraie vocation, c'est ça !

Elle me jette sur les genoux le numéro d'*Actuel* qu'elle a sorti de je ne sais où. Elle avait les mains vides en arrivant, non ?

— Vous n'imaginez pas à quel point on peut avoir besoin de types comme vous, dans une maison d'édition. Bouc Emissaire ! C'est exactement ce qu'il me faut. Voyez-vous, monsieur Malaussène, j'en ai par-dessus la tête de me faire engueuler à ma place !

Suit un long rire suraigu qui semble une fuite de quelque chose, incontrôlable. Et ça s'arrête aussi sec.

— Entre les apprentis écrivains qui s'estiment mal lus, les écrivains novices qui s'affirment mal publiés, les chevronnés qui se déclarent mal payés, tout le monde m'engueule, monsieur Malaussène ! Il n'y en a pas un, m'entendez-vous, en vingt ans de métier je n'ai pas rencontré un seul écrivain qui fût satisfait de son sort !

Elle me fait l'effet d'une petit fille surdouée de cinquante balais, qui n'en revient pas encore de la vivacité de son intelligence, la Reine Zabo. Mais il y a autre chose. Quelque chose d'indéfectiblement triste dans cette gaieté forcée. Oui, quelque chose qui gît tristement sous la masse électrifiée de ce visage fessu.

— Tenez, monsieur Malaussène, la semaine dernière encore, un postulant se pointe pour savoir ce que nous pensons de son manuscrit, expédié deux mois plus tôt. Il était neuf heures du matin. Gauthier, ici présent, (vous êtes présent, Gauthier?) le reçoit dans son bureau, et, mal réveillé, vient chercher dans mes dossiers une fiche de lecture qui se trouvait dans les siens. Pendant son absence, l'autre s'est évidemment mis à fouiller dans ses papiers. Il tombe sur la fiche de lecture, sur laquelle j'avais inscrit : « C'est d' la merde. » Oui, nous sommes concis, entre nous ; le travail de Gauthier consiste précisément à enrober cette concision. Bref, cette fiche n'était pas destinée à être lue par l'auteur du manuscrit en question. Bien, d'après vous, quelle fut sa réaction, monsieur Malaussène ?

(Eh ! bien, ma foi...)

— Il est allé se jeter dans la Seine, juste en face, là.

D'un geste éclair elle désigne la double fenêtre qui ouvre sur le fleuve.

— Il portait la fiche de lecture sur lui, quand on l'a repêché, signée de mon nom. Très désagréable.

Ça y est, j'ai compris ce qui cloche, chez elle. C'était un être sensible, dans le temps, la Reine Zabo, une petite fille qui souffrait des maux de l'humanité entière. Une adolescente torturée. Quelque chose comme ça. Enigmatique porteuse du *chagrin d'être*. Quand le tourment est devenu calvaire et après moultes hésitations, elle est allée sonner le psy à la mode. L'autre Ecouteur a tout de suite pigé que l'humanité la gênait aux entournures, cette enfant vive, et, patiemment, canapé après canapé, il en a extirpé jusqu'à la plus petite racine, et il a planté du social à la place. Voilà ce que c'est, la Reine Zabo. Une psychanalyse réussie : quand elle bouffe, il n'y a que la tête qui profite. Le reste ne suit pas. J'en ai rencontré d'autres, ça ressemble.

— Alors, c'est pour m'éviter ce genre de désagréments que je vous engage, monsieur Malaussène.

(Moi ? je ne suis pas engagé, moi !) Silence. Coup d'œil radioscopique de Sa Majesté. Puis :

— Je suppose que le Magasin vous a licencié, après un article pareil, non ?

Regard ultraviolet. Ombre de sourire :

— Peut-être même l'avez-vous publié dans ce but ?

Puis, catégorique :

— C'est une sottise, monsieur Malaussène, vous êtes fait pour ce métier et pour aucun autre. Bouc Emissaire : c'est un *état*, chez vous.

Et, en me reconduisant au pas de charge :

— Ne vous faites pas d'illusions, vous allez recevoir une foule de propositions, c'est couru. Quoi qu'on vous offre, dites-vous que nous vous paierons le double.

37

Et puis le jeudi fatal arrive. J'ai bien essayé de retenir le temps en me concentrant sur chaque seconde, mais, rien à faire, il a tout de même coulé par les failles de ma sainte âme. (*Moi, mon âme est fêlée*... c'est là-dessus que Clara est tombée à l'oral de son bac...)

Il n'y a pas foule, au rayon des jouets, c'est le moins qu'on puisse dire. Un mot d'ordre a dû être passé, un signe qui tient mystérieusement la clientèle à l'écart. Je suis là. Et je réalise que je n'ai pas cessé une seconde de penser à ce moment depuis notre randonnée souterraine, l'autre nuit, avec Gimini le Criquet. L'obsession de l'échéance était tapie derrière la moindre de mes pensées. J'ai peur. Bon Dieu que j'ai peur ! Il est dix-sept heures trente. Gimini n'est pas encore arrivé. Coudrier non plus. Ni aucun de ses hommes.

Ma petite vendeuse écureuil a maigri. Ses joues ont perdu leurs provisions d'hiver : le Magasin... la fatigue du Magasin... Sa copine la belette est occupée à remettre en ordre les étalages bouleversés par les mômes durant la marée de quatre heures. Gimini n'est pas là.

Moi, j'y suis.

Et la victime ? Elle est là, la victime ? « Je vous la désignerai le moment venu, vous verrez, vous serez surpris... » Pourquoi surpris ? Au fond, c'est à ça que je n'ai cessé de penser. (Pourquoi surpris ? Je la connais donc, la victime ? Personnage public ? Gueule de médias ?) A ça et au reste, j'ai pensé, en vrac. A notre conversation dans le métro. « Pourquoi les tuez-vous dans le Magasin ? Vous les y attirez ? Comment ? » Mon petit vieux a eu un gentil sourire : « Lisez-vous des romans, parfois ? » J'ai répondu que oui, et plus que parfois. « Alors vous savez qu'il ne faut pas croquer d'un coup toutes les surprises de la fiction. » J'ai pensé que « croquer » était bien un verbe de son âge. Mais j'ai pensé aussi : fiction ? « Fiction ? » « Parfaitement, imaginez-vous quelque part dans un roman, cela vous aidera à combattre votre peur. » Il a ajouté : « Peut-être même à en jouir. » C'est là que j'ai commencé à ne plus le trouver tout à fait net. Et à avoir la trouille. Une pétoche larvée qui ne m'a plus lâché d'une seconde. Avec effets secondaires liquéfiants. « Vézarde », dirait Rabelais. (Chiasse, quoi.) Je me demandais d'où ça me tenait. C'était ça, la peur... Et Thérèse ? Comment s'était-il démerdé pour repérer Thérèse, et pour l'identifier ? « De vos frères et sœurs, c'est celle qui vous ressemble le plus. » (Ah ! bon, parce qu'il connaissait donc les autres ?) Oui, oui, le Petit et ses ogres Noël, Jérémy et son don pour les sciences expérimentales, l'œil de Clara... « Rien de mystérieux à cela, jeune homme, votre ami Théo vous aime beaucoup. » Bien sûr, Théo, c'est vrai. Théo lui a parlé de nous. « Vous êtes sa famille, en quelque sorte, tout comme il est la nôtre. » La nôtre ? Ah ! oui, les petits vieux du Magasin. N'empêche que c'est ça qui m'a fait venir aujourd'hui, et pas l'avertissement de Coudrier au téléphone, ça, le fait que je sente planer une étrange menace sur ma famille, au cas où je me défilerais. Pourtant, je continuais à bien l'aimer, mon grand-père mythique, mon « croqueur d'ogres », tout fondu qu'il soit. Le métro nous secouait comme la vie, et pour tenir en équilibre sur ses fesses, il posait à plat ses petites mains, de part et d'autre. On aurait dit les roues latérales d'un vélo d'enfant.

Oui, je me le serais bien emmené, mon vieux, je me le serais bien installé à la maison, en guise d'aïeul, n'était cette histoire de bombe et ce foutu rendez-vous. Parce qu'il me conviait tout de même à un assassinat, assis là sur son petit derrière...

— Vous témoignerez, jeune homme, vous êtes le seul à en être digne !

Il est là. Il est arrivé. Il a revêtu la blouse grise des vieux de Théo. Il a plaqué sur ses traits la sénilité de leurs visages. C'est le petit vieillard bavochant du tout début. Le petit vieux à l'AMX 30. Impossible de savoir s'il m'a vu ou pas. Il est à l'autre extrémité du rayon. Il tripote le King Kong robotisé qui, avec cette femme évanouie dans ses bras, avait achevé de me saper le moral après l'arnaque du plongeur sous-marin. Moi, je sors mon périscope et je cherche la trace des flics dans le Magasin. Que dalle. De la clientèle disséminée, qui butine par-ci par-là, ignorante de ce qui se joue. Et la victime ? Pas de victime non plus. Aucune tête que je connaisse, en tout cas. Coudrier, bordel ! Napoléon de mes fesses, ne me fais pas le coup de Grouchy ! Rapplique ! Je meurs de trouille. Je ne veux pas assister à un meurtre. Je ne veux pas qu'on tue les tueurs, moi, j'ai jamais voulu, je suis contre ! Amène-toi, Coudrier, bordel de Diable ! Fais ton boulot de flic ! Ramasse Zorro et sa proie ! Décore le premier et balance le second aux ordures, mais laisse-moi hors du coup ! Je suis un honnête frère de famille, moi ! Je ne suis pas le bras de la justice, ni son œil ! COUDRIER ! OÙ ES-TU ?

(Si on m'avait dit que je placerais un jour tant d'espoir dans la venue des flics !...)

Gimini m'a vu.

Il me sourit.

Derrière toute sa pantomime de faux gâteux il me fait signe d'attendre, de ne pas m'impatienter. Il continue de jouer comme un gosse avec le singe noir qui porte dans ses bras le corps si blanc de Clara évanouie. Il le pose à ses pieds, et l'envoie dans ma direction. Le méchant singe se met en branle. C'est ça, jouons. C'est le moment ! Patientons...

(Je me tire. Pas question que je reste ici. Je me tire ! Si dans cinq secondes, je ne vois pas se profiler l'Empereur et sa Garde, je me casse !)

Un...

Deux...

Trois...

Tout à coup l'illumination. JE CONNAIS LA VICTIME ! C'est ce fumier de Risson ! Le libraire de mes rêves ! Tout concorde : l'âge, la pourriture cérébrale, sa présence au Magasin il y a quarante ans. Le pourvoyeur ! C'était lui, le pourvoyeur d'enfants. C'était lui, le tentateur, qui bourrait le mou des familles menacées en prétendant faire passer leur mouflet outre-guerre alors qu'il remplissait le grand saloir des ogres ! Il n'y a que lui que je connaisse pour pouvoir tenir ce rôle ! Risson. Il va s'amener d'un moment à l'autre, mystérieusement attiré par l'odeur de sa mort. Et il va sauter sous mes yeux ! Si je me tire, il y passera quand même. Conviction absolue. Il suffisait que je connaisse l'heure et le lieu pour être la sainte caution de cet assassinat ! Zorro s'est bien contenté de la présence de Thérèse, la dernière fois. Plus question de partir. Je ne suis pas un tueur, moi. J'aimerais bien, ça facilite sûrement la vie, mais ce n'est pas dans ma sainte nature. Rester. Jouer tant qu'il le faudra avec le gorille arpenteur. Attendre. Tenir. Et dès que Risson se pointe, lui sauter dessus et le propulser hors du champ de mines. Que la justice se démerde avec lui, ensuite, mais sans moi. N'étant pas le Crime, je ne suis pas non plus le Juge !

Il a un déhanchement sympathique de pingouin, le gorille incandescent. Cette fausse innocence ajoute à son côté sinistre. L'œil rouge. Le feu à la bouche. Clara dans ses bras... Arrête de déconner, Malaussène, ce n'est pas le moment. Quand il atteint tes pieds, tu le lui retournes. Et ce jeu de con doit durer. *Durer* ! Tout est là. Jusqu'à ce qu'il se passe quelque chose, que Coudrier se pointe ou que Risson découpe sa haute et distinguée silhouette à l'horizon de l'escalier roulant. Il a le poil vraiment noir, ce singe. Et le corps de la jeune fille est vraiment blanc. Noir et blanc. Eclair de chair blanche sur fond de nuit morte ! Les flammes de la bouche et la luisance sinistre des yeux...

Et tout à coup, je vois ses yeux à lui, l'autre, là-bas, Gimini, qui me regarde. Qui me sourit. Mon grand-père mythique...

Et je comprends.

Il m'en aura fallu du temps !

Le temps de vivre.

Pas moins.

C'est le même regard que celui de Léonard ! Ce sont les mêmes yeux que ceux de la Bête.

Et c'est ma mort qu'il m'envoie.

La surprise et la peur sont si violentes que l'épée de feu, une nouvelle fois, me traverse la tête. Toute une brochette d'huîtres sanglantes est extirpée de mon crâne.

Sourd à nouveau. Et, bien sûr, Coudrier m'apparaît. Dix mètres de là. A côté d'un mannequin d'essayage vêtu comme lui, figé dans la même immobilité. Coudrier. Caregga du côté des blousons de cuir. Et quelques autres. Soudaine évidence policière.

Le gorille a encore avancé d'un bon mètre.

Pourquoi moi ?

Cette joie, dans ses yeux à lui, là-bas, le nabot maléfique !

Il a compris que j'ai compris !

Du coup, je comprends.

C'est lui, le sixième le dernier, le pourvoyeur ! Pour une raison que j'ignore il a buté tous les autres.

Et c'est moi qu'il va faire sauter maintenant.

Pourquoi ?

Sa Majesté Kong s'est encore rapproché. Caregga jette un coup d'œil interrogateur à Coudrier, la main droite glissée dans l'échancrure de son blouson. Coudrier fait un non rapide de la tête.

Non ? Comment ça, non ? Mais si, Bon Dieu ! Si ! Dégaine, Caregga ! Il y a du bleu dans les étincelles du gorille. Du bleu et un jaune qui fait ressortir le sanglant du rouge.

Regard éperdu à Coudrier.

Prière sourde et muette à Caregga.

Elan paralysé.

Aucune réponse.

Et cette indicible jouissance sur le visage du vieux.

Cette joie provoquée par le spectacle de ma terreur. L'orgasme ! Le panard de sa vie ! N'aurait-il vécu que dans l'attente de cet instant, ça valait le coup de tenir cent ans !

Coudrier n'interviendra pas.

C'est le sourdingue extra-lucide qui l'affirme en moi au sourdingue hyper-voyant.

Ils vont tous me laisser sauter !

Sauter, pour sauter, je saute !

Le plongeon de ma vie. Droit sur le singe voleur d'enfants ! J'ai vu, nettement, mon corps dans l'espace, parallèle au sol, comme si j'étais un autre. J'ai plongé sur le singe mais sans le quitter des yeux, lui, l'ogre ricanant. Et quand je me suis abattu sur ma proie...

Quand j'ai appuyé sur l'interrupteur...

C'est lui qui a sauté.

Là-bas.

A l'autre extrémité du comptoir.

Il y a eu un gonflement de la blouse grise.

Son visage, une seconde, au comble du ravissement.

Puis la blouse s'est vidée d'une purée sanglante.

Qui avait été son corps.

Implosion.

Et, quand je me suis redressé, j'ai su qu'il avait fait de moi un assassin.

Pourquoi moi ?

Pourquoi ?

Les flics m'ont emmené.

38

Cette fois-ci, il me faut des heures pour récupérer mes oreilles. Des heures passées seul dans une salle d'hôpital qui doit être sonore. Seul, si l'on excepte la trentaine d'étudiants en médecine qui écoutent dévotement le propos du maître blanc penché sur le cas de ma surdité à éclipses. Il a le sourire du Savoir. Ils ont le sérieux de l'apprentissage. Ils s'entre-tueront un jour pour lui piquer sa place. Il s'accrochera au caducée. Tout cela aura lieu loin de moi. Parce qu'avec six assassinats sur le râble, j'égrènerai dans un trou les unités de la perpétuité.

— Pourquoi ?

Pourquoi moi ?

Pourquoi m'avoir refilé le chapeau à moi ?

Gimini n'est plus là pour me répondre.

Comment s'appelait-il, au fait, mon grand-père idéal ? Je ne sais même pas son nom.

Si au moins je pouvais ne plus rien entendre jusqu'au bout. Mais non, le maître blanc n'a pas volé ses diplômes. Alors, forcément, il me débouche.

— Il ne s'agissait pas à proprement parler d'une lésion, messieurs.

Murmures admiratifs des piranhas du savoir.

— Aucune chance pour que les symptômes réapparaissent jamais.

Et, à moi, de sa voix suavement parfumée :

— Vous êtes guéri, mon cher. Il ne me reste plus qu'à vous rendre votre liberté.

Ma liberté se pointe aussitôt en la personne de l'inspecteur Caregga. Qui me conduit sans un mot vers le Quai des Orfèvres. (Bien la peine de me rendre l'ouïe pour me livrer à un muet !)

Claquements de portières. Escaliers. Ascenseur. Claquements de talons dans les couloirs. Claquements de portes. Et toc, toc, toc, à celle du commissaire divisionnaire Coudrier.

Il était en train de téléphoner. Il raccroche. Il hoche longuement la tête en me regardant. Il demande :

— Café ?

(Pourquoi pas ?)

— Elisabeth, je vous prie...

Café.

— Je vous remercie. Vous pouvez vous retirer.

(C'est ça., Mais laissez-nous la cafetière, oui, voilà.)

La seule porte à ne pas claquer dans toute cette boutique, c'est celle du divisionnaire Coudrier quand elle se referme sur Elisabeth.

— Alors, mon garçon, vous avez enfin compris ?

(Pas vraiment, non.)

— Vous êtes libre. Je viens d'appeler votre famille pour la rassurer.

Suivent les explications. Les explications finales. Voilà : je ne suis pas un assassin. Mais l'autre, le nabot sulfureux que j'ai fait sauter en l'air en était un. Et de première encore ! Non seulement c'est lui qui a provoqué sa propre mort en m'obligeant à plonger sur le gorille, mais c'est aussi lui qui a rectifié toute son équipe d'ogres.

— Comment les attirait-il dans le Magasin ?

La question me vient spontanément, et, oui, en effet, c'est bien ce qui a longtemps travaillé Coudrier.

— Il ne les attirait pas. Ils y venaient de leur plein gré.

— Vous dites ?

— Suicides, monsieur Malaussène.

Il sourit, tout à coup, et s'étire dans son fauteuil :

— Cette affaire m'a rajeuni de trente ans. Une autre tasse ?

Il y en avait en pagaille de ces sectes à la gomme, pendant la rôtisserie de la Seconde Guerre mondiale. Or, un des premiers jobs du commissaire Coudrier, une fois les armistices signés, fut de récurer tous ces chaudrons du diable.

— Un travail passablement monotone, mon garçon, elles se ressemblaient toutes comme deux gouttes de sang, ces foutues sectes des années quarante.

Oui, toutes sur le même modèle. Un curieux phénomène de rejet des codes moraux et des idéologies, au profit d'une mystique de l'Instant. *Tout est permis puisque tout est possible.* Voilà en gros ce qu'ils avaient dans le crâne. Et la démesure du temps les encourageait. Il y avait de l'émulation dans l'air, pour ainsi dire. S'ajoutait à cela une critique radicale du matérialisme, qui rend l'homme besogneux et prévoyant — le commerce des choses révélant une foi abjecte dans les lendemains qui payent. Mort au lendemain ! Vive l'instant ! et gloire à Mammon le Jouisseur, Prince de l'Instant Eternel ! Voilà. En gros. Et de s'associer par-ci, par-là, les doux dingues de l'époque, en sectes instantanées, jouissives et meurtrières, dont cette *Chapelle des 111*, une jolie bande de six ogres, adeptes de *la Bête 666.*

— Je dois avouer que j'ai nagé, au début.

Mais il a pigé assez vite, Coudrier.

— Cet air de jouissance sur le visage de tous ces morts, d'abord.

Oui, le premier, braguette béante, les deux vieillards qui s'embrassaient, l'autre nataliste qui s'envoyait au ciel juste avant d'exploser, et l'Allemand nu des toilettes scandinaves...

— Ce n'était pas tout à fait *normal.*

(Pas tout à fait, non.)

Sexe et mort, ça lui rappelait un air connu au commissaire, death and sex, ça sentait son cul béni à l'envers, un air qu'il avait appris à reconnaître dans ses enquêtes d'après-guerre.

— Mais pourquoi avaient-ils choisi le Magasin pour leurs... cérémonies ?

— Je vous l'ai dit. Le Magasin représentait à leurs yeux le temple de l'espérance matérialiste. Il s'agissait de le profaner en y sacrifiant des victimes innocentes, attirées là par le chatoiement des objets. Helmut Künz, l'Allemand, aimait à se déguiser en père Noël, comme en témoigne sa collection de photos. Il distribuait des joujous pendant la célébration...

Silence. Glaciation de l'âme. (Café, s'il vous plaît, petit café bien chaud !)

— Pourquoi se sont-ils suicidés ?

Bonne question : son œil s'allume.

— Pour ce qui est de leur suicide, ce sont les déductions astrales de votre sœur Thérèse qui m'ont convaincu. Les astres parlaient à ces messieurs. Ils croyaient dur comme fer que le jour de leur mort y était inscrit. En se tuant eux-mêmes le jour dit, ils ont respecté le verdict des étoiles tout en conservant leur liberté individuelle.

— Se sont octroyé le rôle du Destin, en quelque sorte...

— Oui, et en se faisant sauter aux yeux de tous, sur les lieux mêmes où ils avaient vécu le plus intensément, ils se sont donné leur dernière grande joie. Une sorte d'apothéose.

— D'où ces airs d'extase sur leurs visages morts.

Oui de la tête. Silence. (Des gens tout simples, au fond...)

— Et moi, là-dedans, qu'est-ce que je viens faire ?

(Tiens, c'est vrai, au fait !)

— Vous ?

Léger accroissement de lumière.

— Mon pauvre garçon, vous étiez le plus beau cadeau que la providence pût leur offrir : un saint. Avec votre façon de prendre sur vos épaules tous les péchés du Commerce, de pleurer les larmes de la clientèle, d'engendrer la haine chez toutes les mauvaises consciences du Magasin, bref, avec votre don extraordinaire pour attirer sur votre poitrine les flèches perdues, vous vous êtes imposé à nos ogres comme un saint ! Dès lors, ils ont voulu votre peau, plus que ça : votre auréole ! Compromettre un saint authentique, le convaincre d'assassinat, le désigner comme coupable à la vindicte publique, c'était une jolie tentation pour ces vieux diablotins, non ? Résultat, ils ont bien failli vous faire lyncher par vos collègues. Heureusement que Caregga était là, rappelez-vous...

— Mais je ne suis pas un saint, bordel de Dieu !

— Ce sera au Vatican d'en décider, à la Congrégation des Rites, pour être plus précis, d'ici deux ou trois cents ans, si on cherche à vous canoniser... Quoi qu'il en soit, le dernier de nos ogres est allé plus loin que tous les autres. Votre ami Théo lui avait sans doute beaucoup parlé de vous, en toute ingénuité, avec admiration, et votre côté grand frère, protecteur d'orphelins, n'a fait que décupler sa haine. Il vous a vu sous les traits d'un saint Nicolas sauvant les innocents du saloir. Or le saloir était à lui. C'était lui qui le remplissait. Vous lui voliez son dîner en quelque sorte. Voilà un homme qui vous a haï comme vous ne le serez jamais plus. En se faisant tuer par vous sous les yeux de la police, il a organisé un flagrant délit qui aurait dû vous être fatal. Comble de raffinement, il a même pris soin de vous séduire au préalable. Car il vous a bel et bien séduit, l'autre nuit, dans le métro, non ?

(Si.)

— Imaginez sa joie, quand il a compris que vous tombiez dans le piège. Il est mort, persuadé qu'on vous collerait les six meurtres sur le dos.

(...)

— Comment s'appelait-il ?

Regard muet. La lumière qui décroît.

— Ici, vous vous heurtez au secret, mon garçon. Il était respectable, comme on dit.

(Et voilà, tu avais raison, mon vieux Théo...)

En conséquence, les conclusions de l'enquête seront tenues secrètes. Les bombes n'exploseront plus dans le Magasin. Mais Sainclair remplacera les flics par des vigiles qui continueront à fouiller la clientèle pour faire grimper le chiffre d'affaires. Les vigiles joueront les monuments aux Morts. (Le premier devoir d'un monument aux Morts, c'est d'être vivant.)

Encore deux petites choses. Comme je demande à Coudrier pourquoi il n'est pas intervenu, pourquoi il m'a laissé plonger sur le gorille, il a une réponse gaullienne ; il dit :

— Il fallait que cela fût fait.

Et, un peu plus tard, en me raccompagnant à la porte :

— Vous avez eu tort de vous faire renvoyer du Magasin, Monsieur Malaussène : Bouc Emissaire, vous faisiez ça très bien.

En sortant de la P.J., j'ai espéré une seconde qu'une 4 CV jaune citron m'attendrait, garée sous une interdiction de stationner. J'avais le plus grand besoin de me lover dans les vallons de sa propriétaire et de m'y assoupir, à l'ombre. Mais non. Il n'y avait que le trou noir du métro. Bon. Ce sera une nuit sans Julia. Une nuit Julius.

39

A la maison, plusieurs surprises m'attendaient. Un énorme paquet de lettres d'embauche, d'abord. Que j'ai foutues au panier une fois lues. Toutes les entreprises du pays se proposaient d'engraisser du Bouc Emissaire.

Que dalle, fini, « plou zamais ça », comme disait un pape à propos d'une guerre.

La dernière des enveloppes émanait du ministère de l'Education Nationale. Je l'ai ouverte rien que pour voir combien le Ministre m'offrait pour me faire piétiner en son nom.

Il ne m'offrait rien. Il me demandait juste de rembourser le C.E.G. de Jérémy. Ci-joint l'addition.

J'étais en train de compter les zéros quand l'interphone a grésillé.

— Ben ? Descends vite, il y a une surprise pour toi.

Evidemment, je me suis rué.

La surprise était de taille. (Elle était même le double d'elle-même !)

Maman ! C'était maman.

Elle était jolie comme une maman. Elle était encore jeune comme une maman. Et elle était enceinte jusqu'aux dents, comme une jeune et jolie maman.

J'ai dit :

— Maman ! Maman !

Elle a dit :

— Benjamin, mon tout petit !

Elle a essayé de me serrer dans ses bras, mais l'autre, à l'intérieur, faisait déjà opposition.

J'ai dit :

— Et Robert ?

Elle a répondu :

— Plus de Robert.

J'ai montré le petit sphérique.

— Et lui ?

Elle a répondu :

— C'est le dernier, Ben, je te le jure.

J'ai décroché mon téléphone et j'ai appelé la Reine Zabo.

Impression Bussière à Saint-Amand (Cher),
le 2 mars 1988.
Dépôt légal : mars 1988.
Numéro d'imprimeur : 3177.
ISBN 2-07-038059-9./Imprimé en France.

42422